黎明 日本左翼史

左派の誕生と弾圧・転向 1867—1945

池上 彰　佐藤 優

講談社現代新書

2712

はじめに

既刊の本シリーズ三冊（『真説　日本左翼史』『激動　日本左翼史』『漂流　日本左翼史』）では、太平洋戦争後の日本左翼史を扱った。このシリーズの特徴は、日本共産党を中心とする歴史観ではなく、共産党（戦前の講座派）ＶＳ．日本社会党（戦前の労農派）と新左翼という枠組みで戦後左翼史を検討したことだ。また、学生運動と労働運動を総合的に理解しようとした。

特に一九七〇年代初頭に内ゲバで新左翼諸党派の社会的影響力が失われたことをもって左翼運動が低調になったとの通説を退け、労働運動では社会党左派の母体となった社会主義協会の影響力が総評系労働運動に拡大し、社会党が平和革命によって（ソ連型の）社会主義を志向するようになり、それに危機を感じた政府と財界が総力をあげて労働運動の再編を試み、成功したことで日本の左翼の影響力が著しく低下したという見方を示した。

読者から、予想をはるかに超える反響があったが、日本共産党の熱心な支持者を除いて、肯定的評価がほとんどだった。

わたしたちは、戦後日本左翼主流派（社会党とそれを支持した人々）の特徴は、労働者の解放（平等の実現）とともに絶対平和主義だったと結論づけた。日本共産党は一九五〇年代の武装闘争路線、その後も「敵の出方論」（現在、共産党はこの用語を用いないが、概念自体は正しいとしている）に基づき、革命の過程における武力行使の可能性を排除しなかった。新左翼諸党派（警察は極左暴力集団、共産党は「ニセ左翼暴力集団」と呼んだ）のほとんどが暴力革命による社会主義革命を説いた。

ここで戦前に目を転じてみたい。戦前の左翼に、平和主義という視点はなかった。中国への侵略をはじめとした帝国主義戦争には反対するが、むしろ戦争という危機を利用して革命を起こすという戦略（というよりは願望）を夢想していた。日本共産党は、一時期武装に着手した。労農派マルクス主義者は、共産党のような冒険主義は取らないが、帝国主義戦争に日本が挫折したときに革命が起き、そのときに暴力による体制転換が起きるのは当然と考えていた。

戦争と暴力革命を結びつけたのには、合理的根拠があった。それは一九一七年のロシア革命により史上初の社会主義国家ができたという現実だ。マルクス主義の唯物史観によれば、生産力が極限まで発展すると、資本主義という上部構造ではもはや発達した生産力に耐えることができないので、社会主義革命が起きるということになる。しかし、社会主義革命は後発資本主義国であるロシアで起きた。ロシア革命が起きた当初、レーニン、トロツキーらはヨーロッパでも引き続き社会主義革命が起きなければ、社会主義ロシアが持ちこたえることはできないと考えた。ドイツ、ハンガリーで革命が起きたが、短期で鎮圧されてしまった。マルクス主義理論に反するからといって、革命を放棄することはレーニンらにはできなかった。そこで、レーニンは一国社会主義への転換を主張し、その路線でソ連を極端な中央集権的な警察国家に改変したのがスターリンだった。現実的に考えて、社会主義革命は、生産力の発展によってではなく、世界規模の戦争によって起きるのだ。

このことは第二次世界大戦においても実証された。戦争の結果、ソ連の影響力が拡大し、東ドイツ、ポーランド、チェコスロバキア、ハンガリー、ユーゴスラビア、アルバニア、ブルガリア、ルーマニア、北朝鮮、中国、北ベトナムが社会主義国になった。ソ連と隣接するモンゴルは戦前に社会主義国になっていたし、一九六〇年代にはキューバが、七〇年代にはカンボジアとラオスが社会主義国となった。(帝国主義)戦争を革命に転化するという戦略が国際基準では定石になった。

二〇二二年二月二四日にロシアがウクライナに侵攻した。ロシアはこれを「特別軍事作戦」と規定したが、実態は戦争だ。当初この戦争は、ウクライナ東部地域のロシア系住民に対する処遇をめぐる二国間の争いだった。しかし、現在はその枠組みを超えた西側連合(そこには日本も含まれる)対ロシアの事実上の世界戦争になっている。西側にとってもロシアにとっても価値観をめぐる戦争だ。ただし、基準となる価値観が異なる。西側にとっては民主主義VS.独裁、ロシアにとっては真実のキリスト教(正教)VS.悪魔崇拝(サタニズム）の戦いだ。このような戦いは、一方が他方を殲滅しない限り解決しない。ウクライナ戦争が第三次世界大戦に発展する可能性を過小評価してはならない。

慎重に言葉を選んでいるが、新たな世界戦争の到来が、新しい社会主義（共産主義）をもたらすのではないかと予測しているのが哲学者の柄谷行人氏だ。柄谷氏は、マルクスが共産主義と主張していた社会を「交換様式Ｄ」と表現する。

〈――最後の質問です。本書（佐藤註＊柄谷行人『力と交換様式』岩波書店、二〇二二年）序論は、次の言葉で締めくくられています。「戦争の危機が迫りつつある」。しかし本書全体は、交換様式Ｄの到来を予言して終わります。現実的に今、戦争が行われている。これがどこまで拡大するかはわかりません。その中でも、私たちは希望を見いだすことを決して諦めてはならない。そういう提言の書、希望の書として『力と交換様式』を受け止めてよいということでしょうか。

柄谷　そういうことです。最初の話に戻りますが、一九九〇年頃、「歴史が終わった」といわれていたときに、「終わっていない」と私はいっていました。どういう歴史か。帝国主義戦争の歴史です。それがまた反復される。そのことをいうのに、一番ふさわしくない時期だったと思います。結構楽天的な人たちばかりでしたからね。ネグリ＝ハートとか、アメリカでマルチチュードの運動をやっていけば、それが世界中に広がっていくといっていた。そうした考え方に対しては、私は悲観的でした。そんなことには絶対ならないという予感がありました。だから、今後も同じような反復が繰り返される。単なるウクライナの問題だとは思いません。もちろん、そのことを証明する気はしない。けれども、そうなるだろうとは思います。

ただ、仮に現実がそうであっても、それこそアーミッシュ（佐藤註＊一六世紀の宗教改革急進派に起源を持つ現在も前近代的な生活を維持する絶対平和主義教団の構成員）のような形で暮らしていくことだってできるわけです。アソシエーションの運動（New Associationist Movement）に関する本を出した時も、今後それがすぐに実現するという意味で書いたつもりはなかった。運動は細々とやっていけばいい。アーミッシュは細々とやっている。同じようにやっていけばいいと、そういう宣言でした。今度の本を通していおうとしたのも、同じことです。〉（柄谷行人ほか『柄谷行人『力と交換様式』を読む』文春新書、二〇二三年、九五〜九六頁）。

ウクライナ戦争が第三次世界大戦に拡大することは、何としても阻止しなくてはならない。そのためには即時停戦で、争いを交渉（外交）によって解決する方向に転換する必要がある。同時に平和の思想を確立しなくてはならない。この観点で、一九四五年から五〇年近く強い価値を持ち、日本人の思考と行動に影響を与えた日本左翼の平和主義から学ばなくてはならない事柄が少なからずある。世界大戦に直面して、「このような事態を繰り返したくない」と人々が考え、社会的構造転換が起きるというシナリオでは犠牲者が多すぎる。世界大戦を阻止する努力を通じて、平和と格差の是正を実現するという方向で私は自分のできる限りの努力を続けたいと思っている。

日本左翼史を扱った本シリーズは『黎明 日本左翼史』で完結する。

長期間の対談に応じてくださった池上彰氏に感謝申し上げます。本書は、青木肇氏（前講談社現代新書編集長）、講談社現代新書編集部の小林雅宏氏、佐塚琴音氏、フリーランス編集者兼ライターの古川琢也氏の尽力なくしてはできませんでした。どうもありがとうございます。

二〇二三年六月三日、曙橋（東京都新宿区）の書庫にて

佐藤 優

目次

はじめに 3

序章 「戦前左翼史」とは何か 15

右翼と左翼が未分化だった戦前
「新宗教」という日本的な受け皿
絶大な存在感を示した大本

第一章 「松方デフレ」と自由民権運動 25

「日本」という意識を生んだ開国
資本主義の素地としての通俗道徳
地租改正が促進させた「個の自立」
資本主義を確立させた「松方デフレ」

太宰治を苦しめた「後ろめたさ」の正体
松方デフレが左翼の登場を準備した
自由民権運動は「負け組による権力闘争」
争点は「時期」だけだった自由民権運動
「血なまぐささ」に慣れていた明治政府
近代史上最大の農民蜂起「秩父事件」
秩父困民党の思想性
秩父という特殊な宗教共同体
人力車夫たちが結成した「日本初の無産政党」？
吉田松陰が左右に与えた影響
「想像の共同体」としてのマスメディア誕生
キリスト者・内村鑑三と足尾鉱毒事件
第二章　社会主義運動と「大逆事件」

日本左翼の源流
日本最初の労働組合、誕生
日本社会主義の父・片山潜の活躍
マルクスを絶対視しなかった日本社会主義者たち
左翼運動に向かわなかった民衆のエネルギー
「平民新聞」が打ち出した非戦論
堺利彦、幸徳秋水、中江兆民
「平民新聞」によるキリスト教社会主義批判
アナキズムの二つの類型
無政府主義がマルクス主義よりも「ウケた」理由
幸徳秋水とサンフランシスコ大地震
幸徳秋水が重要視した「アナルコ・サンディカリズム」
アナキズムと右翼の必然的共鳴
社会主義者に打撃を与えた「赤旗事件」
大逆事件の衝撃

大逆事件が文学者たちに与えた影響
大逆事件を生き残った社会主義者たち

第三章　ロシア革命と「アナ・ボル論争」

「冬の時代」の主義者たち
労働運動の盛り上がり
ロシア革命と米騒動
「日本社会主義同盟」結成とアナ・ボル論争
ボリシェヴィキの無政府主義者弾圧を批判した大杉栄
アナ・ボル論争は理論的には「未決着」のまま
関東大震災と甘粕事件
ソ連に寄りかかったマルクス主義
高畠素之が見抜いていたロシア革命の本質

第四章　日本共産党の結成と「転向」の問題

治安維持法による運動家の弾圧
日本共産党を過大評価したコミンテルン
第一次共産党の結成
「二二年テーゼ」問題と第一次共産党弾圧
「山川イズム」とは何か
「ビューロー」で党再建を目指した荒畑寒村
第二次共産党の再建と「福本イズム」
「レーニン主義の漫画」呼ばわりされた福本イズム
「二七年テーゼ」と「労農」
「三・一五事件」が共産党に与えた衝撃
共産党幹部がほぼ全滅した「四・一六事件」
田中清玄と「武装共産党」時代
「非常時共産党」時代

「エンタメ性」抜群だったプロレタリア文学
「三二年テーゼ」が共産党に与えた影響
「日本資本主義論争」の勃発
大森ギャング事件とスパイM
佐野・鍋山転向声明の衝撃
転向者たちの戦中・戦後
疑心暗鬼を募らせた共産党と小畑達夫の死
転向者が出た講座派、転向者が出なかった労農派
おわりに ―――――――――――――――――――――― 246

序章
「戦前左翼史」とは何か

右翼・左翼・新宗教――。混沌としたエネルギーが
文明化して間もない後発国・日本で牙を研ぐ。

右翼と左翼が未分化だった戦前

佐藤　二〇二一年に始まり約二年をかけて行ってきた「日本左翼史」対談を通じて、私たちは日本の戦後史を「左翼」の視点から捉え直そうと試みてきました。

池上　一冊目の『真説　日本左翼史』では戦後から一九六〇年頃の安保闘争までを振り返り、二冊目『激動　日本左翼史』では一九六〇〜七〇年代の学生運動や過激派の動きを中心に左翼運動がもっとも盛り上がった時期を論じました。そして三冊目の『漂流　日本左翼史』でその後に衰退してゆく左翼の流れを概観して、全三冊で「戦後左翼史」を総括してきましたね。

佐藤　はい。従来は左翼史というと学生運動と過激派に焦点が当てられがちでしたが、私たちの「日本左翼史」対談では戦後史全体まで射程を広げたこと、七〇年代以降の組合運動など今まで軽視されてきた事象を取り上げたこと、とりわけ社会党や共産党が担ってきた役割を歴史的に検討してきたことで、類書にはない歴史観を提示できたと思います。

池上　シリーズに一貫している問題意識は、**格差の拡大や戦争の危機といった現代の諸問題が左翼の論点そのものであり、左翼とはなんだったのかを問うことで閉塞感に覆われた時代を生き抜く上での展望を提示する**、というものです。

佐藤　ところで、シリーズを始めるにあたって最初に話していたのは、戦後史に限らず明治維新から現代までの、日本近代史全体を射程に捉えようということでした。

池上　そうでしたね。時系列では明治維新から始めるべきところ、読者にとって少しでも馴染みのある時代から始めようということで、まずは一九四五（昭和二〇）年八月の敗戦を起点とし、前巻『漂流～』でようやく現代にたどり着いたのでした。

そして四冊目となる本書『黎明　日本左翼史』では時計の針を一気に一五〇年以上巻き戻し、ついに明治維新以降の左翼史について話す、ということになります。

佐藤　そうです。野心的な試みになりますが、本書で「戦前左翼史」を取り上げて「戦後左翼史」と接続することで、さらに厚みのある「日本左翼史」像を提示することを目指したいと思います。

ただいきなりですが、本巻の狙いである戦前の左翼史について考えようとすると、テーマ的には「左翼」から逸脱せざるを得ないところがあります。

池上　というと？

佐藤　戦前、とりわけ幕末から明治時代の初期のころは戦後的な意味の左翼はまだ存在せず、**ただ「世直し」の思想なり運動なりがあったに過ぎない**からです。

そもそも明治という時代が始まった時点において、天皇や皇室は自明にして絶対のものです。これが少し時代を下ると、天皇を単なる「地主の親玉」とみなし、打倒を目指す勢力も現れますが、少なくとも近代が始まった時点ではそんなことは誰も考えていませんでした。

また、ようやく左翼と呼べる一群が登場してからも、彼らが唱えた格差の是正や困窮する農村の救済などの主張は、彼らの専売特許というわけではなく、右翼も主張していたものでした。

池上　**左右の両極はこの時代、かなりの部分において重複し、未分化だった**わけですね。右も左もない混沌とした状況の中で、ただ政府に対する異議申し立て運動があった。

佐藤　そう思います。ですから戦前の左翼について語ろうとすると、対立するはずの右翼思想についても言及を避けられません。

ただ、この未分化ということは今も部分的には残っていますよね。そもそも日本の近代化を成し遂げたイデオロギーである尊王攘夷思想は本来、右翼の思想です。しかし尊王はともかく攘夷、つまり外国を打ち払えという思想は、現在の日本共産党の反米主義にも明らかに継承されています。ですから尊王攘夷という思想の歴史的な位置づけについても、あらためて考えてみる必要があるでしょう。

「新宗教」という日本的な受け皿

佐藤　そして、戦前の思想対立は右翼・左翼だけでなくもう一つの軸がありました。新宗教（新興宗教）です。

池上　なるほど。たしかに江戸時代末期から明治初期にかけては、神道系の新宗教が庶民の中から生まれ、広範な支持を集めました。

一八五三（嘉永六）年の黒船来航により否応なく開国に踏み切った日本では、外国人が急に流入したことで国内にコレラが流行し、一八五四年から六〇年の安政年間には各地で大地震が連発し、多数の死者も出ました。

その少し前には天保の大飢饉（一八三三―三九）もあり、農村では農民が貧困に喘《あえ》ぎ、借金をした末に土地を奪われたり、赤ん坊が生まれても「間引き」せざるを得なかったり、などの例が多発したと言われます。そうしたなかで天理教《てんりきょう》[1]や金光教《こんこうきょう》[2]、黒住教《くろずみきょう》[3]などに代表される神道系の新宗教が生まれ、支持を集める下地があった。

1　天理教：一八三八年から一八八七年にかけて、農家の主婦であった中山みきの説いた人類創造神の教えに基づいて成立した宗教。
2　金光教：一八五九年に農民教祖である金光大神（赤沢文治）が創唱して成立した宗教。
3　黒住教：神道教団。黒住宗忠を教祖とする。一八一四年に宗忠が三四歳のとき得た宗教体験をもとに創始した宗教。

佐藤　天理教の教祖となった中山みきは一七九八（寛政一〇）年に大和国山辺郡三昧田《さんまいでん》村（現在の奈良県天理市三昧田町）に生まれ、賢く、よく働くのを見込まれて村でも一、二を争う庄屋の息子に嫁ぎますが、この夫が放蕩三昧の怠け者で、決して幸福な結婚生活ではなかったそうです。

それが一八三八（天保九）年、突然足に激痛を訴えた長男を祈禱してもらったのをきっかけに神がかり状態となり、「三千世界を助けるために天降った」と神の言葉を代言したことから天理教が始まった。

高橋和巳《たかはしかずみ》の小説『邪宗門』に登場する新宗教団体「ひのもと救霊会」のモデルとしても知られる大本《おおもと》[4]（いわゆる大本教）、その教祖である出口《でぐち》なおも、自らの教えを打ち立てた五六歳までは苦労の連続でした。大工だった彼女の夫は浪費癖が激しくなおを長年苦労させ、その夫と五二歳のときに死別した後も、八人いた子供のうち長男は自殺未遂をした後に行方不明となり、次男は日清戦争に徴兵され戦死、娘のうち二人は一時的に精神疾患を患ったと言われます。そうした家庭的な不幸に立て続けに襲われるうちに神がかりとなり、自動書記による「お筆先《ふでさき》」を書き病気治しの祈禱をするようになった。

この二人を代表格として、戦前の新宗教には当時の厳しい社会状況で貧困や家庭不和による辛酸を嘗めさせられてきた女性たちの姿が非常に目立ちます。

池上　時代状況に押しつぶされて悲嘆に暮れる女性が神の言葉を伝達するシャーマンとなり、同じような境遇にある民衆の期待を一身に集める存在となったというわけですね。

佐藤　そうした民衆は、他の国であればプロレタリアートになって労働運動に糾合されていたかもしれません。しかし日本では神がかりになった女性たちのもとに集まり「世直し」を訴えるようになる例が非常に多かったのです。

絶大な存在感を示した大本

佐藤　その中でも特に大本は、なおの娘婿である出口王仁三郎《おにさぶろう》の力により、大正から昭和初期にかけては宮中関係者や陸海軍将校が多数入信する一大勢力となりました。

王仁三郎はなおに懸かった神を国常立尊《くにのとこたちのみこと》、つまり「日本書紀」における天地開闢《かいびゃく》の始神で、皇室の祖である天照大神《あまてらすおおみかみ》よりも上位とされる神が、世の建て替え・立て直しのためにこの世に下ったのだと理論化しました。しかし、この教義は、当時の国家権力にしてみれば、天皇の統治の正統性を揺るがしかねない危険なものでした。

4　大本：習合神道系の新宗教。出口なおとその女婿である出口王仁三郎を教祖とする。一八九二年、出口なおが神がかりして開いた。大本教というのは他称で自らは大本と称する。

池上　だから大本は一九二一（大正一〇）年の第一次大本事件に続き、一九三五（昭和一〇）年の第二次大本事件でもこっぴどく弾圧されましたね。

佐藤　そうして弾圧された新宗教の教団には仏教系のものもあり、特に日蓮宗系の団体は、来世ではなく現世での救済を目指していることからそれぞれに世直しを標榜《ひょうぼう》しました。日蓮正宗の在家信者の団体であった創価教育学会（創価学会の前身）も、初代会長の牧《まき》口常三郎《ぐちつねさぶろう》が逮捕され、獄中で死亡しています。

　ですからそう考えていくと、**戦前の世直し運動、異議申し立て運動には右翼と左翼に加えて宗教というもう一つの極があり、この三者がときに対立し、ときに相互に重複しつつ展開していった**というのが実際のところだと思うのです。そしてこの三極の中でも、右翼と宗教は相互浸透している面が多々ありました。

　たとえば三井財閥の総帥である団琢磨《だんたくま》を暗殺した「血盟団」の指導者である井上日召《いのうえにっしょう》[5]は戦前の右翼界の大物であると同時に日蓮宗の僧侶でした。

　また二・二六事件を起こした皇道派青年将校たちの理論的指導者だった北一輝《きたいっき》[6]、あるいは柳条湖事件や満州事変の首謀者である陸軍軍人・石原莞爾《いしわらかんじ》[7]らも右翼のカリスマであるとともに熱心な日蓮主義者でした。

池上　北一輝に関しては、若い頃には社会主義思想に強い関心を持ち、天皇機関説を唱えた結果、不敬罪で逮捕されていますし、ある意味では、宗教的であると同時に右翼的で、なおかつ左翼的な面まで持ち合わせているとも言えますね。世直しの思想が北という人間の中で幾重にもねじれている。

佐藤　そうなんです。これが戦後になると、そのねじれは左翼思想という一本の比較的ストレートな流れへと収斂《しゅうれん》していくのですけど、戦前は全くそうではありませんでした。おそらく後発資本主義国では割と共通してみられる現象ではあるのでしょうが、ナショナリズムと宗教と左翼運動が渾然一体になって、一見するとわけがわからない状態で拮抗していた。この三つ巴のフレームをまず理解しておかないと、戦前の思想史は語れません。

池上　なるほど。**社会に対する異議申し立ての思想や運動がほとんど左翼の専売商品のよ**

5　井上日召（一八八六～一九六七）：右翼テロリスト集団の指導者。群馬県に生まれる。一九三二年に血盟団を組織して「一人一殺主義」により暗殺を計画、配下の小沼正に元蔵相井上準之助を、菱沼五郎に三井合名理事長団琢磨を殺害させた（血盟団事件）。

6　北一輝（一八八三～一九三七）：戦前右翼の理論的最高指導者。著書『国家改造案原理大綱』（一九二三年に『日本改造法案大綱』と改題して刊行）は、天皇大権による戒厳令、国家機構改造、アジア大帝国の建設を論じ、長く右翼のバイブルになった。

7　石原莞爾（一八八九～一九四九）：陸軍軍人（中将）。一九二〇年に田中智学の所説にひかれて日蓮主義の思想団体国柱会に入会。一九二八年に関東軍主任参謀となると『戦争史大観』を執筆、満州事変、「満州国」創設、日本の国際連盟からの脱退などを推進した。

うになった戦後とは全く違うわけですね。

佐藤　戦後の右翼は単発的なテロは起こしても大きな運動を展開することはほとんどなくなり、宗教にしても、一九六〇年代に公明党を結党した創価学会を除けば、どの教団も政治的な力をたいして持てなくなった。それが戦前と戦後の最も大きな違いではないかと思います。

池上　なるほど。その構図を頭に入れたところで、次章からはいよいよ戦前の左翼史をふりかえっていきましょう。

第一章
「松方デフレ」と自由民権運動

近代化を目指し、改革を進める明治政府。
国民の困窮と叫びが暴動を呼び、思想が生まれてゆく。

《第一章に関する年表》

一八五四年	日米和親条約の締結。
一八五五年	日露通好条約の締結。
一八五八年	日米修好通商条約の締結。
一八六七年	大政奉還。王政復古の大号令。
一八六八年	戊辰戦争の勃発。五箇条の御誓文。
一八七一年	「横浜毎日新聞」創刊（日本最初の日刊紙）。
一八七二年	「東京日日新聞」創刊。
一八七三年	地租改正条例の公布。
一八七四年	板垣退助ら、民撰議院設立建白書の提出。
一八七五年	「新聞紙条例」制定。
一八七七年	西郷隆盛を盟主とした西南戦争、勃発。
一八八〇年	国会開設請願運動。
一八八一年	明治十四年の政変。自由党結成。松方正義、参議兼大蔵卿に就任。頭山満、玄洋社を設立。
一八八二年	福島事件。人力車夫の無産主義政党「車会党」結党。立憲改進党の結成。

一八八三年	高田事件。
一八八四年	加波山事件、秩父事件。自由党解散。
一八八五年	大阪事件。
一八八九年	大日本帝国憲法発布。
一八九〇年	第一回衆議院議員選挙。
一八九二年	出口なおが「艮の金神」のお告げを聞く。「萬朝報」創刊。
一八九四年	日清戦争。
一九〇一年	足尾鉱毒事件で田中正造が天皇に直訴。内田良平、黒龍会結成。

「日本」という意識を生んだ開国

池上　では、ここから年表をもとに「左翼史」の総ざらいを進めていきましょう。その上でまず起点をはっきりさせておかなければいけませんね。一八六八年の明治維新でいきなり近代化が始まったわけではないでしょうから。

佐藤　始まりはやはり一八五四（嘉永七／安政元）年でしょうね。

池上　一八五四年というと、日米和親条約が結ばれた年ですか？

佐藤　ええ。日米和親条約の締結、そして翌一八五五（安政二）年の日露通好条約で、日本は長く続いた鎖国の時代に終止符を打ちました。

開国により日本が蒙った変化を数えあげ始めたらキリがありませんが、その中でも根源的に重要なことのひとつは、外国人や外国の文物を初めて目の当たりにした多くの人々の心に、「日本」という意識を生みだしたことです。

池上　確かにそうですね。それ以前の日本人にとって国といえば、薩摩や長州、会津など「藩」のことであって、外国というのは「唐土《とうど》」「天竺《てんじく》」「南蛮《なんばん》」といった言葉に表される、抽象概念に近いものでしかなかった。

だから薩摩人や長州人、会津人という意識はあっても、それらを統合した「日本人」というアイデンティティは希薄だったでしょうし、各藩の藩主の家紋が自分たちのシンボル的に使われている一方で、日本という国家を示すシンボルマークの必要性は誰も感じてさえいなかった。それが初めてまともに外国と貿易をするようになって、日本の船を外国船と区別するための日本国共通の船舶旗が必要となり、薩摩藩主・島津斉彬《しまづなりあきら》の進言で、白い帆に朱の日の丸を日本船の総印として使用するようになった。

佐藤　そのようにして、日本という意識が生まれないことには、左翼思想の母体である階級意識も生まれませんからね。

池上　会津の人と薩摩の人では話し言葉に違いがありすぎて、口頭でコミュニケーションしようとしてもお互いに何を言っているのかわからないので、書き言葉、それも武家階級共通の教養だった漢文を書いて意思疎通していたくらいですからね。

　それが明治大正を通じて、学校教育で「国語」が教えられた結果、東京の山の手で暮らしていた上流階級の言葉が「標準語」として普及していったわけですが。

佐藤　国語教育の必要性を強く訴えたのが、「標準語」という言葉の発案者ともいわれる一八六七（慶応三）年生まれの言語学者・上田萬年《うえだかずとし》ですね。上田も東京帝国大学で学んでいた若い頃は、各地から集まってくる同級生たちと日本語では意思疎通ができず、英語でコミュニケーションを取っていたそうです。日本語の標準語が形成される上で注目されるのは、話し言葉より書き言葉が先行したことです。

資本主義の素地としての通俗道徳

池上 「日本人」というアイデンティティもさることながら、民衆が階級意識をもつに至るには、彼らが暮らす社会そのものに、資本主義がある程度以上発達している必要もありますよね。この資本主義も、やはり開国と同時に前資本主義的な様々なモノ・文化が流入し、貨幣の力が急激に強くなったことによって始まったと考えていいのでしょうか？

佐藤 そのとおりだと思います。ただ日本には、資本主義が急速に浸透していくだけの下地が既にあったと私は考えています。

歴史学者の松沢裕作《まつざわゆうさく》さん（慶應義塾大学経済学部教授）が書いた『生きづらい明治社会』（岩波ジュニア新書）を読むと非常によくわかるのですが、明治維新が起きた時点で日本社会の商業化はすでに都市部を中心に相当に進んでおり、それに伴って、通俗道徳がかなりの程度浸透していたからです。

池上 通俗道徳というと、要するに二宮尊徳《にのみやそんとく》に代表されるような、勤勉に働いて質素倹約に努め、そうして蓄えたお金を浪費せずに投資に回せば立身出世できる、経済的な成功が叶えられるという価値観ということでしょうか。

佐藤 そうです。経済的に成功するにはとにかく努力が大事なのだという考え方ですね。

この通俗道徳が日本に根付き始めたのは江戸や大阪などの大都市で貨幣経済が発達した江戸中期ごろのことですが、その頃はまだ基本的には商人たちの道徳でしかありませんでした。

池上　武士階級は倹約も利殖も含めてお金のことについてあれこれ思い煩うこと自体卑しいことだという価値観を持っていたでしょうし、農民は農民で助け合いの精神があったでしょうしね。

佐藤　究極の助け合いの世界ですよね。なにしろ村が領主に納める年貢については村全体で連帯責任を負っていましたから、誰か一人でも怠けている人がいればその分は誰かが肩代わりしないといけない制度だったわけですからね。

地租改正が促進させた「個の自立」

佐藤　ところがこの互助の世界が、明治政府が一八七三（明治六）年に地租改正を断行したことで解体されました。

池上　明治政府が初期に行った税制の大改革ですね。江戸時代までは収穫された米の量を対象に、米で税を納めさせていたのを、明治政府は土地の収益から算定された地価の三％の金額を、土地所有者に貨幣で納めさせる方法に改めました。

江戸時代から続いていた税制では、税収が米の収穫高に応じて変わってしまいますから、政府が計画的に予算を組むことがなかなかできません。しかし近代化を進めるために課題山積だった明治政府としては豊作・凶作に左右されずに徴税を行い、税収を安定させたい思惑があったので、どうしてもこの方式に変更したかった。

農民からすれば凶作の年でも決まった税率を負担しなければいけない上に、三％という税率の負担も重かった――じっさい導入後は各地の農村で反対の声が上がって暴動が相次いだため、政府は導入四年後の一八七七（明治一〇）年には税率を二・五％に引き下げています――わけですが、地租改正によって土地は所有者の私有物であることが明確化され、農民たちも連帯責任の縛りから解かれ、自分の収入にのみ責任を負えばよいということになった。

佐藤　これで「個の自立」が起きたわけですよね。江戸時代まではいくら通俗道徳が根付いていると言ってもあくまで商人階級を主体とした価値観だったのだけど、地租改正以後は、仕事を怠けた結果税金を払えない者が同じ村にいても助ける道理がなくなった。

池上　それまでは商人たちだけの特殊な倫理観だった通俗道徳が、日本の人口の圧倒的多数を占めていた農民へと広がり、国民的に共有されていくようになるきっかけを地租改正が作った。農民たちも助け合いではなく、自己責任の精神で成功を目指すようになった。

佐藤　ええ。日米和親条約締結後に貨幣経済がそれまでとは違うレベルに達した結果、日本社会にすでに一定程度浸透していた通俗道徳はますます力を持つようになりました。もっとも、そもそも通俗道徳が江戸時代を通じてそれなりに根付いていなければ、日本において資本主義があれほど急速に根付くこともなかったと思います。

この通俗道徳の存在もまた、明治期の左翼史を理解する上でのもう一本の重要な補助線になりうると思います。

資本主義を確立させた「松方デフレ」

佐藤　しかし現実の社会では、個人の成功や没落というものは社会の仕組みや運不運に大きく左右されるものであって、必ずしも個人の努力・怠慢だけで決まるものではありません。

こうした状況が日本に初めて出現したのは、私は「松方デフレ」以降のことだと思います。

池上　松方デフレというと、大蔵卿・松方正義《まつかたまさよし》[8]が一八八一（明治一四）年から政策的・意図的に引き起こしたデフレーションですね。

松方正義

発足したばかりの明治政府では一八七七（明治一〇）年に勃発した西南戦争の莫大な戦費を調達するために、大隈重信《おおくましげのぶ》が大量の不換紙幣を発行し、そのせいで戦後、とんでもないインフレを招いていました。

大隈の後を引き継いで大蔵卿となった松方は、このままでは経済危機を招き新政府は破綻すると考え、インフレを抑えるために大隈が発行した不換紙幣を徹底的に回収し、焼却しました。これにより今度は逆に大規模なデフレが生じました。

農村でも米などの農産物、あるいは農民にとって大事な副収入源になっていた繭、生糸などの価格が暴落し、農民たちが困窮のあまり地租を払えなくなり、最終的に農地を売却せざるを得なくなる例が多発しました。農地を手放してしまった後は高額な小作料を払って他人の土地を借りながら農業を続ける小作農に転落する者もいれば、仕事を求めて都市部に移り住み、資本家に使われる労働者になる者もいました。

佐藤　一八七一（明治四）年に廃藩置県、一八七六（明治九）年に廃刀令などの改革が断行されて武士階級の不満はすでに溜まっていたでしょうが、とはいえ明治初期における日本の総人口の四％程度を占めていたに過ぎない士族たちの地位が揺らいだだけでは、社会構造が大きく変わったとは言えません。本当の意味で激震が走ったのは、この松方デフレによって農民たちの生活が脅かされてからのことだと思います。

池上　そうですね。没落した自作農たちが手放した土地は、裕福な一握りの地主、あるいは高利貸しのもとに集積していきました。彼らのような地主は自分自身が働いて農作業をせずとも、小作農に土地を貸して小作料を取り立てるだけで生活できます。地租改正と松方デフレは、そうした「寄生地主」を日本全国に生み出しました。

佐藤　彼ら寄生地主は、小作料として集めたカネを投資に回し、その利殖でさらに豊かになっていきました。

池上　マルクスが『資本論』で解き明かした資本主義に特有の現象、まさにそのとおりのことが日本でも初めて起きたということですね。

太宰治を苦しめた「後ろめたさ」の正体

佐藤　そのとおりです。マルクスが資本の本源的（原始的）蓄積と呼んだ現象です。ただこれも資本主義におけるよくあるパターンではありますが、寄生地主にあまりに富が集中すると、その子供や孫の世代の中から、自分たちの境遇に疑問を持つ者も出てきます。

8　松方正義（一八三五〜一九二四）：明治・大正時代の政治家。一八八一年に参議兼大蔵卿に就任した松方は、いわゆる松方財政を展開し、紙幣整理と軍拡を強行した。

彼ら自身は親が小作から搾り取った富のおかげで高等教育を受けさせてもらい、高い教養を身につけることができたのだけど、その教養あるがゆえに、額に汗して働いているわけでもない自分たちが贅沢な暮らしをしていることに違和感を覚え、やがて不平等を成り立たせている社会そのものへの反感を募らせていく。そうした反感なり自分の境遇に対する「後ろめたさ」なりから、のちに革命運動や芸術運動に向かった例は多々あったでしょう。

考えてみれば太宰治《だざいおさむ》もそうした若者のひとりですよね。

池上　太宰の実家である津島《つしま》家は、太宰の曽祖父の頃は青森県北津軽郡金木村《かなぎむら》（現在の五所川原市《ごしょがわらし》）で油の行商をしていたそうですね。それが明治維新後、行商で蓄えた金を農民たちに貸すようになり、借金を返せなくなった農民から土地を巻き上げることで青森県有数の大地主にまで上り詰めた。父親の津島源右衛門《げんえもん》は多額納税により貴族院議員も務めています。

そうした典型的な寄生地主の家に生まれ育った太宰は、実家への反感もあって旧制弘前高等学校在学時には学友たちとともに左翼運動に加わりました。生涯で最初の自殺未遂をしたのもこの頃で、この動機にも革命運動が関係していたとの説があります。太宰自身も後年、三〇代半ばになってから書いた短編『苦悩の年鑑』で次のように回顧しています。

〈プロレタリヤ独裁。

それには、たしかに、新しい感覚があった。協調ではないのである。独裁である。相手を例外なくたたきつけるのである。金持は皆わるい。貴族は皆わるい。金の無い一賤民《せんみん》だけが正しい。私は武装蜂起《ほうき》に賛成した。ギロチンの無い革命は意味が無い。

しかし、私は賤民でなかった。ギロチンにかかる役のほうであった。私は十九歳の、高等学校の生徒であった。クラスでは私ひとり、目立って華美な服装をしていた。いよいよこれは死ぬより他は無いと思った。

私はカルモチンをたくさん嚥下《えんか》したが、死ななかった。

「死ぬには、及ばない。君は、同志だ。」と或る学友は、私を「見込みのある男」としてあちこちに引っぱり廻した。

私は金を出す役目になった。東京の大学へ来てからも、私は金を出し、そうして、同志の宿や食事の世話を引受けさせられた。〉

……どうやら革命の同志たちとは東京帝国大学入学後も付き合いがあり、資本家階級出身の太宰はよい金づるになっていたようですね。

佐藤　皮肉なことですが、寄生地主がいるからこそ革命運動も活性化し文化も生まれてくるという面は実際にありますよね。

池上『苦悩の年鑑』ではプロレタリア文学に対して辛辣な見方をしている太宰ですが、彼自身も旧制高校時代には当時流行していたプロレタリア文学に影響を受けた作品を書いています。プロレタリア文学については第四章で詳しく話すことにしましょう。

松方デフレが左翼の登場を準備した

池上　ここまでの流れを整理すると、黒船来航によって「日本」という意識が生まれたところに、地租改正により江戸時代までは曖昧だった土地の私有化の概念が明確化された。これにより、それまでは当たり前だった連帯責任で税を納めるという共同体的な仕組みが社会の中から失われ、個の自立が促進されて自己責任型の社会へと急速に変化した。そこから必然的に格差が生まれてきた。

そして松方デフレによって、個人的な努力だけではもはやどうにも抗いようのない恐慌と、富の一極集中現象が到来した。それまではみんな、真面目に頑張れば世の中はどうにか渡っていけると思っていたのが、そんな常識など通用しない社会に初めてなった、ということですね。

松方デフレによって日本各地で離農者が相次いだことも重要なポイントでしょうね。ひとつの社会で社会主義の思想・運動が広まる上では、社会の中に一定数のプロレタリアートが存在していなければならず、そのためには農村がある程度解体され、工業化されていることが前提となりますから。

ところで、仮に松方正義がデフレを起こしていなければ、その後の日本はどうなっていたでしょうか？

佐藤　国家破綻して早々に西欧列強の植民地になっていたかもしれませんが、近代以降の世界史にはほぼ登場することのない、小さな農業国として細々と生き延びていた可能性もそれなりにありますね。

それ以前の地租改正も行われなければ、日本全国、どこの村でも皆が連帯責任で年貢を納める方式が続いて寄生地主が生まれることもなかったでしょう。おそらくタリバーン支配下のアフガニスタンのような国になっていたのではないでしょうか。

ところが幸か不幸か、松方がデフレ政策を行い、さらに日清戦争が起きたことで結果的にデフレを克服できてしまったことで近代的な国家としての基礎体力が備わった。そして松方デフレによって出現した時代状況に対しては、右翼的な人々だけでなく、新たに出現したプロレタリアートという階級からも必然的に異議申し立てがなされるようになった。

ですから**松方デフレとは、日本を資本主義の国に本格的に移行させると同時に、左翼運動を潜在的に準備することにもなった重要なターニングポイントであった**と言えます。

池上　いま佐藤さんが指摘した、松方デフレを克服した直接の要因が、日清戦争の開戦だったというのも忘れてはいけないポイントでしょうね。

近年の日本もデフレの克服を課題とし、日本銀行は二〇一三（平成二五）年に就任した黒《くろ》田東彦《だはるひこ》総裁のもと大規模金融緩和を続けたものの、「二％の物価上昇」にはなかなか届きませんでした。任期終盤にようやくインフレに転じましたが、これが日銀や政府の政策の成果として起きたものでなく、ロシアのウクライナ侵攻の影響で食料品や燃料の供給が滞ったからであるのは誰の目にも明らかです。

現代の日本の場合、物価上昇のペースがあまりに急激で賃金の上昇が追いついていないので、これはこれで大いに問題があるのですが、政府や中央銀行が何年も取り組んでできなかったことを、戦争は一瞬にして実現してしまう。これはひとつの現実ではあります。

佐藤　日清戦争で日本は約二四万人の兵力を投入して、戦死者は一万三八〇〇人。これは、のちの日露戦争、第二次世界大戦で受けた損害と比べるときわめて少なかった。

一方で打ち負かした清国政府からは約二億両《テール》の賠償金を分捕ることができました。

池上　当時の邦貨換算で約三億円。現在の価値に換算すると、だいたい七七〇〇億円くらいではないかとも言われる大金です。

佐藤　もっとも賃金ベースで考えると明治時代の貨幣価値ははるかに高くなります。

〈当時の給料をもとにして考えてみましょう。明治時代は小学校の教員の初任給が1ヶ月で8〜9円だったといわれています。現在の初任給はおよそ20万円程度であることを考えると、1円は2万円もの価値があったとも考えられます。〉（三菱UFJ信託銀行HPに掲載された二〇二三年三月四日付の記事）。

そう考えると当時の三億円は、現在の六兆円になります。戦死者一人あたり約四億三五〇〇万円が入ってきたことになります。国家として非常にローリスク・ハイリターンな事業だったわけで、それゆえにここで日本は、国のトップから末端の国民まで、「戦争は儲かる」のだと学習してしまいました。

だからこの後の日本はビジネスとしての戦争にのめりこみ、より儲かる投資のために一〇年に一度のペースで戦争をするような奇妙な国家になってしまいました。生活に困っているのにパチンコや競馬に少ない元手をつぎ込んでしまう人がいるのと似ていますよね。

池上　生活が苦しくなったものだから、いっそ戦争で一発大逆転を図ろうとしているうちに破産（敗戦）してしまった、ということですね。

自由民権運動は「負け組による権力闘争」

池上　ところで、松方デフレが日本社会の資本主義化を促進し、結果的に左翼思想と運動の登場も準備したというのはそのとおりだと思うのですが、一方で教科書的な理解でいうと、松方デフレが始まる七年前、一八七四（明治七）年一月の時点で、板垣退助《いたがきたいすけ》が明治政府に対して国会開設を請願する「民撰議院設立建白書」を提出しています。これに陸奥国・三春藩の郷士出身の河野広中《こうのひろなか》らが呼応し、一八八〇年には、のちの自由党の母体となる政治結社「国会期成同盟」が結成されました。

これらを起点に自由民権運動、つまり薩摩・長州両藩出身者が独占的に権勢を振るう藩閥政治を批判し、憲法の制定や議会の開設を求める声、あるいは地租の軽減や言論・集会の自由を求める民衆運動が全国的に高揚していきました。

一般的には、松方デフレ以前にすでに始まっていたこの自由民権運動を左派運動のルーツとみなすことも多いのではないかと思いますが。

佐藤　自由民権運動は佐賀の乱や西南戦争など明治初期の士族反乱の延長線上にあるものであって、維新政府の「負け組」が仕掛けた単なる権力闘争にすぎない、というのが私の評価です。この運動を左翼の誕生とダイレクトに結びつけるのは無理があるでしょうね。

池上　佐賀の乱は肥前佐賀藩の出身で、明治政府では初代司法卿（法務大臣）を務めた江藤《えとう》新平《しんぺい》が佐賀で、西南戦争は倒幕まで薩摩の中心人物でありながら、維新後はかつての盟友・大久保《おおくぼ》利通《としみち》との征韓論争に破れて下野した西郷隆盛《さいごうたかもり》が鹿児島で起こした反乱でした。

板垣は土佐、また江藤のほか立憲改進党を結成した大隈重信などは佐賀出身でみな新政府の参議ではありましたが、明治維新を成し遂げた四派閥である薩長土肥（薩摩・長州・土佐・肥前）の中では肥前佐賀は傍流でしかなく、やはり大久保らとの権力争いに敗れ辞職していきます。自由民権運動とは、明治政府で主流派になれなかった彼らにとっての「敗者復活戦」のようなものだったということでしょうか。

佐藤　そうです。維新の勝ち組ではあるのだけど、倒幕後の新国家建設においては冷や飯を食う羽目になった「中途半端な勝ち組」が、西郷まで敗死してしまった今となっては武力による国家権力掌握はもはや不可能だと悟ったので議会を通じて権力奪取を狙った。自由民権運動の根底にはこの構図があると思います。

池上　たしかに、自由民権運動が特に盛んだった地域は、福島県や酒田県（現在の山形県庄内地方）など、戊辰戦争を幕府側として戦った東北地方の各藩、あるいは徳川家の影響力が強かった関東各県に集中しています。「人民に自由と権利を」と主張する民権派に対して、「国家の権力が強化されてこそ人民の権利・自由も保障される」と主張する勢力を国権派と呼びますが、そういう意味では、自由民権運動における「国権派対民権派」の構図は、幕末の「倒幕派対佐幕派」をひきずっていた面を否定できないかもしれません。

佐藤　だいたい民権派サイドも大隈は穏健派であるのに対して板垣は急進派と温度差があったわけですけれど、急進派の板垣にしても比較的早い段階で日和ってしまいましたからね。

池上　自由民権運動末期における板垣の立ち居振る舞いは、たしかに往年の維新志士にしては卑怯かもしれませんね。

争点は「時期」だけだった自由民権運動

池上　先ほども挙げた福島県では、自由党の幹部である河野広中が県会議長として議員たちの指導的立場にありました。運動の高まりに危機感を覚えた明治政府は、この福島など運動が特に盛り上がっている地域で弾圧を強めていきました。

その指揮を執ったのが、元薩摩藩士で一八八二（明治一五）年に福島県令に赴任した三島《みしま》通庸《みちつね》でした。三島は福島の地元住民の反対を無視して土木開発事業を強引に進めては、反対運動に参加した自由党の党員や農民を摘発。この過程で、河野と自由党の同志たちが藩閥専制政府に対抗する連判状を取り交わしていたことを根拠に内乱陰謀の容疑で逮捕する「福島事件」が起こりました。

さらに三島が翌一八八三（明治一六）年に栃木県令に就任し、ここでも自由党を弾圧すると、下館藩（現在の茨城県筑西《ちくせい》市）出身の自由党員・富松正安《とまつまさやす》らは八四年九月に予定されていた新県庁の開庁式で三島を爆殺しようと計画しました。しかし爆薬調製中に爆発事故を起こしてしまい、暗殺は未遂に終わって計画も露見。富松ら一六人の自由党員は九月二三日に茨城県の加波山《かばさん》に立てこもり「圧政政府転覆」「自由の魁」などの旗を掲げ決起を呼びかけますが、すぐに一斉検挙され、首謀者たちは処刑されました。こちらは「加波山事件」と呼ばれています。

この加波山事件が起きると、河野や富松が指導者として戴いてきた板垣は事件発生から一ヵ月後の一〇月二九日に大阪で自由党の集会を開き、そこで党を解党すると宣言してしまいました。この二つの出来事のあいだの一〇月一二日には明治天皇の名で「国会開設の勅諭」が発せられており、運動の目的は達成できたという意味では解散の大義名分が整っていたと言えなくもないですが、自分が始めた運動でありながら暴発を防げなかった責任から逃げたとも言えます。

板垣といえば、一八八二年の岐阜県での演説中に暴漢に襲われた際に発した、「板垣死すとも自由は死せず」の名文句が有名ですが、そうした胆力に溢れたイメージからすると変わり身が早すぎる印象ですね。もっとも例の名言じたい、近年では本当に板垣がその場で口にしたわけではないという説もあるようですが。

佐藤　そもそも板垣が求めていた国会開設や憲法制定にしても、当時の国権派は反対していたわけではありませんしね。

池上　単に時期の問題だったのですよね。少なくとも伊藤博文《いとうひろぶみ》を首魁《しゅかい》とする当時の政府首脳たちは欧米を視察してきただけに、国会も憲法もいずれは作らなければいけないことはよくよく知っていた。ただ彼らが念頭に置いていた近代化の工程表からすると、あまりに時期尚早だと考えていた。

佐藤　ええ。ちなみに民間でも、現在の同志社大学の創立者である新島襄《にいじまじょう》などはこの時点での国会開設に反対していました。選挙で選ばれる側にも、選ぶ側にも見識のある者が絶対的に不足している当時の日本で選挙を実施したところで、資産家が票をカネで買い漁り、そうして得た議席を自分の私腹を肥やすことだけに利用する金権政治に堕するのは目に見えていたからです。

今の日本に必要なのは多少の時間をかけてでも国民全体の人格涵養《かんよう》につとめることであって、選挙民と被選挙人に一定の質が備わったところで満を持して国会を開くべきなのである、その手間を惜しんでいきなり選挙を実施したところで絶対にろくなことにならない、というわけです。

池上　なるほど。それは案外、芸能人のスキャンダル暴露ばかりしていたユーチューバーが参議院選挙で二八万票も集めて当選してしまう現代にも通じる話かもしれませんね。

佐藤　そもそも当時は選挙制度を導入するといっても普通選挙ではなく制限選挙、つまり一定以上の税金を納めた人だけが投票できるシステムが基本的に想定されていましたから、よほど気をつけても金権腐敗に陥りやすい仕組みでした。

池上　日本で衆議院議員選挙の制度が定められたのは一八八九（明治二二）年、大日本帝国憲法の公布と同時のことでしたが、このとき選挙権の有資格者を、「直接国税一五円以上を、選挙人名簿に名前が掲載されてから満一年以上の期間納めている満二五歳以上の男子」に限定しましたね。この制限選挙が、普通選挙法が公布される一九二五（大正一四）年まで続きました。

この制度だと税金をたくさん納めることができる金持ちにばかり有利な政治が行われてしまうのは火を見るより明らかなのですけどね。

佐藤　ただ、そうした弊害があるにもかかわらず、当時の人がなぜ長いあいだ普通選挙を採用せず、制限選挙のほうが良いと考えたかについては、そう考えた側の理屈をあらためて検討してみる必要があると思います。
つまり当時の人々にとっては、財産を持っている人というのは基本的に勤勉で、節約ができるだけの道徳を備えているのであって、そうした美徳の持ち主であればこそ財産を築くに至ったのだ、そうした人格的に立派な人にだけ選挙権を与えておけば総合的な判断をしてくれるはずだから制限選挙のほうがいいのだ、という考え方がかなりの程度常識化していた。そうでなければ、制限選挙などという仕組みが三〇年も支持されることはないと思います。実際にこの理屈はその後も、普通選挙反対派のロジックとして使われました。

池上　たしかにそうかもしれません。さきほど佐藤さんが指摘していた、通俗道徳の明治期日本における浸透ぶりは、ここからも窺えますね。

佐藤　**通俗道徳の強みは、誰が聞いても特段の反発を覚えないがゆえに強力なイデオロギー性を発揮する点にあります。**今だってたとえば生活保護の問題が議論されるたびに「受給者は甘えている」「公的な支援を期待する前に、まず自助努力でなんとかしろ」という声が上がって必ず一定以上の支持を受けますからね。

「血なまぐささ」に慣れていた明治政府

佐藤　話を自由民権運動に戻すと、先ほど池上さんが解説してくれた福島事件にしても加波山事件にしても、主体となったのは基本的に戊辰戦争で敗れた側の士族、言ってしまえば政治エリートたちの運動であり、大衆的な広がりを持つには至りませんでした。

池上　規模も決して大きくありませんでしたしね。

佐藤　そもそも自由民権運動じたい、民権を強化し、平等な社会の実現を目指したものではありましたが、では何のために板垣や大隈がそれを実現したかったかといえば、社会の構造を大きく造り替えることで国を豊かにしようと考えていたからです。「富国」という点では国家目標と完全に一致しているわけですよね。

池上　あくまで愛国運動であり、体制の枠内で行われた改革運動であった、と。

たしかに自由民権運動にはのちに右翼の大物となる頭山満《とうやまみつる》[9]なども参加して国会請願を求めていましたが、これも自由民権運動を愛国運動、国家主義者による体制内改革と捉えればある意味当然のことではあります。

一八八一(明治一四)年一〇月に国会開設の詔が出されると、頭山は自分が率いていた政治結社「共愛会」を玄洋社《げんようしゃ》に改名し、自由民権運動からは離れて大アジア主義、つまり日

9　頭山満(一八五五〜一九四四):国家主義者、大アジア主義者。一八七八年に板垣退助の影響で民権運動に身を投じ、国会開設運動を行った。その後、率いていた「共愛会」を玄洋社と改名、民権論から離れて国権の伸張を主張、大アジア主義を唱えるようになった。右翼の草分け的存在として各界に隠然たる勢力をもち、多くの国家主義者を育てた。

本を中心にアジアの諸民族が団結して、欧米列強に対抗すべきであるとする思想を提唱するようになりました。そのために清朝政府打倒を目指して当時日本に亡命していた孫文《そんぶん》や、日本の明治維新に倣って朝鮮を清朝から独立させ、近代化しようとしていた朝鮮独立党の指導者・金玉均《キムオッキュン》など、外国の革命家たちへの援助も行いました。

一方で日本の対外政策に関しては一貫して強硬論を主張し、のちの日清・日露の両戦争では断固開戦の論陣を張ったほか、大陸進出や韓国併合についても在野の立場から後押ししました。

自由民権運動の最終盤の一八八五（明治一八）年に起きた「大阪事件」も、この大アジア主義との関連が強い事件ですね。

この事件は自由党の左派党員だった大井憲太郎《おおいけんたろう》以下、神奈川、栃木、富山、長野などの元自由党員百数十人が結集して明治政府を打倒しようとしたものですが、その計画は皆で朝鮮に渡って金玉均らと共闘して朝鮮革命を実現させ、さらに朝鮮の宗主国を自任する清王朝と日本の戦争状態を作り出し、その混乱に乗じて明治政府を打倒しようという、非常に壮大なものでした。しかし渡航前に計画が露見し、大井をはじめとする首謀者たちが一斉逮捕されたことで何事も起きませんでした。

佐藤　この事件も含めて、自由民権運動においては戦後の左翼暴力革命に形式的にはよく似た企てがあったことは事実で、実際に血も流れているのですけど、ここで注意しておきたいのは、**明治という時代にあっては、世の中全体が革命を通じた世直しというものをさほど危険視していなかったかもしれない**ということでしょうね。

なにしろ政府の権力者たち自身がほんのすこし前まで革命家で、京都では新選組や見廻組など権力側の暴力装置との殺し合いをくぐり抜けて現在の立場にあるわけですから。

池上　たしかにそうかもしれませんね。戊辰戦争では東京も上野戦争などがあって戦場になりましたし、佐賀の乱で敗れた江藤新平に至っては、見せしめのために首が市中に晒されるなど、近代化を目指しているはずの国にしてはずいぶんと血なまぐさい手段も用いられました。自由民権運動が盛り上がっていた頃は、そうした内戦の記憶がまだまだ新しかったでしょうからね。

佐藤　ですから革命というものを実際のもの以上に過剰に恐れるメンタリティは権力側にはなかったし、民衆の側も、ある程度見慣れた光景だったのではないか、と思うんです。

近代史上最大の農民蜂起「秩父事件」

佐藤　ただ一連の自由民権運動の激化事件のなかでも、秩父事件だけは位相が異なりますね。あれはまぎれもない大規模民衆暴動ですから。

池上　板垣退助が自由党を解党した直後の一八八四（明治一七）年一一月に、埼玉県秩父地方の農民たちが武装蜂起した、近代日本最大の農民叛乱とされる事件ですね。

もともと秩父地方は養蚕が盛んな地域で、江戸時代まで当地の農民たちは繭や生糸を売ることで比較的豊かに暮らせていて、農民たちは学問にも熱心だったと言われます。ところが、この地域も松方デフレ後は繭の価格が暴落。多くの農家が高利貸しから金を借りた末に返済不能に陥り、破産する者が続出しました。

また明治政府が富国強兵のスローガンのもと村の若者が徴兵されることや、画一的な義務教育制度のもと、農家における貴重な働き手である子供たちが昼間学校に取られてしまうことも不満の種として燻《くす》ぶっていました。

こうしたなか、下吉田《しもよしだ》村の落合寅市《おちあいとらいち》、上吉田《かみよしだ》村の坂本宗作、高岸善吉という三人の農民が一八八三（明治一六）年の暮れごろから秩父郡役場に通い、負債額の一〇年据え置きと四〇年の年賦払いを役人に請願するようになりますが、聞き入れてもらえませんでした。

そして翌一八八四年二月に秩父でも自由党が結成されると落合らも入党し、彼らを中心に秩父地方の農民組織としての困民党も結成され、総理（最高指導者）には、大宮郷（現・秩父市内）熊木の出身で、以前から農民どうしのトラブル仲裁を引き受けるなど人望が厚かった田代栄助《たしろえいすけ》が就任しました。この体制のもと引き続き高利貸しへの説諭や地租の減免、学校の一時休校などに関する嘆願を継続しますが、役場の対応は相変わらずで、高利貸しからの取り立ても過酷さを増していきました。

もはやこれ以上の請願は無意味と悟った困民党は密かに武装蜂起の準備を開始。そして一一月一日、椋神社に三〇〇〇人あまりが集結し、翌二日には西南戦争で西郷軍が押したてた「新政厚徳《しんせいこうとく》」の旗をかかげ梵鐘《ぼんしょう》を打ち鳴らしながら大宮郷へ乱入しました。そうして町役場を占拠し、さらに高利貸しを襲撃し、借金の借用書を焼き捨てたのです。これら一連の過程で困民党軍は約一万人にまで膨れ上がり、一時は秩父一帯を占拠さえしました。

明治政府はまず軍事警察である東京憲兵隊に鎮圧させようとしますが、困民党軍はこれを銃撃戦により撃退。政府は常備兵である鎮台兵を派遣し、一一月四日に本体を壊滅させるものの、一部は隣の長野県に逃げて抵抗を続け、一〇日にようやく戦闘は終結しました。

佐藤　首謀者とされた七人に対しては本人欠席のまま死刑宣告が下され、田代、高岸、坂本らは処刑されましたが、七人のうち、困民党軍の会計長を務めていた井上伝蔵《いのうえでんぞう》は逃げ延びて密かに北海道に渡り、筆が立ち法律にも詳しかったことから現地で代書屋（現在の司法書士や行政書士）を開業しました。秩父事件を描いた今のところ唯一の劇映画である『草の乱』（二〇〇四年公開、神山征二郎《こうやませいじろう》監督）の主人公は井上（演・緒形直人）に設定されています。

困民党軍の大隊長となっていた落合寅市は敗走後、四国に潜伏。翌一八八五（明治一八）年には、さきほど池上さんが解説してくれた大阪事件にも加わっていますが、そこで失敗して逮捕され、懲役一〇年の刑を受けました。

秩父困民党の思想性

池上　秩父事件は日本近代史上最大の農民蜂起という規模の大きさもさることながら、興味深い点がいくつもありますね。たとえば困民党には、

第一条　私に金円を掠奪する者は斬
第二条　女色を犯す者は斬
第三条　酒宴をなしたる者は斬
第四条　私の遺恨をもって放火その他乱暴をなしたる者は斬
第五条　指揮官の命令に違反し私に事をなしたる者は斬

と定めた五箇条の「軍律」があったほか、蜂起に際しても、

「今般自由党の者共、総理板垣公の命令を受け天下の政治を直し、人民を自由ならしめん

と欲し、諸民のために兵を起こす」

「先ず郡中にて軍用金を整え、諸方の勢いと合して、埼玉県を打ち破り、（中略）東京へ上り、官省の吏員を追討し、圧政を変じて良政に改め、自由の世界として人民を安楽ならしむべし」

との宣言があったと伝えられています。

実際には蜂起の時点で板垣は自由党を解散してしまっていたので「板垣公の命令」があったとは思えませんが、困民党がただの暴発的な、目の前の敵を倒すだけで満足してしまう視野の狭い集団ではなく、もっと、ずっと大きな大義を掲げて戦う意識をもっていたことを感じさせます。

なにより興味深いのは、武装蜂起を呼びかける過程で風布村《ふうっぷむら》の大野苗吉らが「恐れながら天朝様に敵対するから加勢しろ」と参加を呼びかけたと伝わっていることですね。

自由民権運動のほかの激化事件にしてもそれ以前の内戦にしても、首謀者たちは藩閥政治の打倒を掲げてはいたけれど天皇と敵対する意識は毛頭なく、むしろ自分こそが天皇の忠臣であり、蜂起によって「君側の奸」を除くのだという意識だったでしょう。それが困民党の農民たちの場合、敵対する相手が天皇であるという自覚を持っていたのは注目に値します。

また困民党軍は秩父郡役場を占拠後はここを本陣（指導部）とし、町の治安維持も自分たちの手で行っていましたが、彼らが軍用金を徴収した際に発行していた受領書には、「革命本部」あるいは「革命党本部」という署名が入れられていたこともわかっています。

佐藤　秩父事件の場合は思想があったということですよね。そうであればこそ明治政府の側も、一連の激化事件の中でも秩父事件に関してはほかの事件とは比べものにならない激しさで鎮圧に臨み、首謀者に対しても苛烈極まりない処分を下しました。江戸時代からたびたび起きていた従来型の百姓一揆に思想が加わると、権力側にとってとてつもなく厄介な存在になりかねないということを、当局の側も本能的に気づいていたからでしょう。

　実は未だに秩父事件の全体像はよくわかっていないんですよね。八〇〇〇人から一万人が暴動に加わり、事件後に三〇〇〇人以上が有罪判決を受けたとされているものの、戦闘でどれほどの犠牲者が出たのかについては不明で、戦死した農民の墓さえ建てられませんでした。

池上　いま現地に行けば「秩父困民党無名戦士の墓」という碑がありますが、あれは戦後、一九七八（昭和五三）年になってから建てられたものですからね。

佐藤　だから困民党軍に加わって戦死した農民たちの実際の遺骨は、今も秩父山中のどこかに埋まっているはずなんです。

秩父という特殊な宗教共同体

佐藤　ただ秩父事件の場合、そうしたのちの左翼革命運動を先取りするような面もありながら、一方でそのカテゴライズにはどうしてもなじまない面があります。
　そもそも秩父という土地は、日本の他の一般的な地域と少し異なるところがあります。というのは、秩父は古来より山岳信仰の対象で、江戸時代以降も寺社奉行の管轄地だったんですよ。

池上　そういえばたしかに秩父には、参拝者が寺々をめぐりながらお札《ふだ》を受け取る三四ヵ所の札所がありますね。

佐藤　ただ寺社奉行は基本的に江戸に常駐していて管轄地に行くことは滅多にありませんし、役人の監視の目は届きにくかった。だから結果として、統治権力の支配が及びにくい、ある種のアジール（聖域、避難所）として、地元民による高度な自治が実現していたんです。

池上　なるほど。信仰に基づく互助システムが機能するような、宗教共同体だった。

佐藤　しかしそうした秩父も、明治政府ができて早々に発せられた神仏分離令（廃仏毀釈《はいぶつきしゃく》）により、地元の農民たちが敬っていた札所四番・金昌寺《きんしょうじ》にあった約一三〇〇体の石仏がみな首を折られてしまいました。今でも現地に行くと、石仏の首をセメントでくっつけてつなぎ直したのが確認できます。

池上　先祖代々拝み敬ってきた対象をある日いきなり破壊されたわけですから、農民たちの衝撃は大きかったでしょうね。彼らなりに、これはとんでもない政府ができてしまった、という意識はこの時点であったかもしれません。

さらにそれに加えて地租改正、続く松方デフレで自分たちの生活が成り立たなくなったとあれば、決死の闘いを挑むだけの十分な理由があったのでしょうね。

人力車夫たちが結成した「日本初の無産政党」？

佐藤　ですから、日本における明治維新が西欧型の市民革命、つまり新興市民階級が封建制を打倒するというタイプの革命にはならなかったように、近代化と資本主義化に伴って社会の矛盾が噴出し始めてからも、それらに対する異議申し立ては、西欧とは異なる分節化を遂げた、ということが言えると思います。

池上　ここまで見てきただけでも、左翼勢力が自由や平等を訴えて、右翼勢力がそれに抵抗する、というわかりやすい構図には全くなっていませんものね。

佐藤　**幕末から、どんなに短く見積もっても自由民権運動が行われていたくらいまでの期**

間は、この国を突き動かしていたのはなんとも形容しがたい、右翼とも左翼とも、宗教とも判別しがたい混沌としたエネルギーであって、そのエネルギーが次第に分節化していった、ということだと思います。

池上　たしかに自由民権運動が下火になるくらいから、左翼・右翼・宗教の三極が少しずつ具体性といいますか、それぞれの収まりどころを見出していったのは年表を見ていても感じられますね。

佐藤　そうですね。まず秩父事件が勃発する二年前の一八八二（明治一五）年には、鉄道馬車（レールの上を走る乗合馬車）が開通したのを機に、仕事を奪われかねない立場になった人力車の車夫たちが「車会《しゃかい》（界）党《とう》」という団体を結成しています。

池上　名前だけ聞くとふざけているように聞こえてしまいますが、「日本初の無産政党」とも言われている政治結社（のちに政党）ですよね。

会頭（党首）となった三浦亀吉《みうらかめきち》は、ここまで何度か名前が出ている大井憲太郎の車夫をしていて、大井のほかにも土佐藩出身で、父親は山内容堂《やまうちようどう》の侍講をしていた奥宮健之《おくのみやけんし》に世話人になってもらってこの党を結成したのですよね。しかし結党式からわずか四日後に、奥宮と三浦が警官に演説を止められそうになって警官に暴力をふるったという容疑で検挙・投獄されてしまい、短期間で自然消滅してしまった。

佐藤　左翼とも右翼ともつかない、ごく未分化な状態のまま、ほとんど何もしないまま消滅してしまいましたね。理論を持たない集団にはそれが限界だったのだろうと思います。ただ労働者が自主的に立ち上がって労働運動に近い何かをこれほど早い時期に始めていたという点で、この車会党は、歴史的にもっと注目されていい存在だと思っているんです。

　車夫という仕事は、明治初期における底辺労働の代表ですよね。肉体的に過酷で、なおかつ常に中産階級以上の金持ちたちを乗せて走っているわけだから、日々の仕事の中で必然的に階級差を意識させられる立場にいる。しかも社会的弱者ではあっても体力と腕力は人一倍あるわけですから、いざ権力と事を構えることになった場合、これほど頼りになる人たちもいません。

池上　たしかに明治初期の、これほど早い時期に底辺労働者の組織化が試みられていたというのはそれ自体驚きではありません。

佐藤　ええ。この一六年後の一八九八（明治三一）年に安部《あべ》磯雄《いそお》[10]、幸徳秋水《こうとくしゅうすい》[11]、堺利彦《さかいとしひこ》[12]ら、日本における社会主義の先駆者たちが社会主義研究会を結成し、それが一九〇〇年に社会主義協会に名を改めるわけですが、そうした知識人たちの団体が作られる一六年も前に、労働者たちの自発的な結社が先駆けて誕生していた、ということになります。

　私がこの車会党のことを覚えているのは、昔、社会主義協会の学校で教えてもらったからなんです。つまり日本の社会主義運動の起源を、知識人たちが始めたものとして捉えるか、それとも現場で働く労働者たちが理論よりまず実践したものとして捉えるか――。

どちらが先だったかによって、日本の社会主義運動の歴史的意義も微妙に変わってきま

安部磯雄

幸徳秋水

堺利彦

10　安部磯雄（一八六五～一九四九）：キリスト教社会主義者、政治家。同志社英学校に学び、新島襄より受洗。一八九九年より『六合雑誌』の主筆となり、キリスト教社会主義を論じ、さらに社会主義研究会や社会民主党などの結成に重要な役割を果たした。
11　幸徳秋水（一八七一～一九一一）：明治時代の社会主義者。一八九八年二月「萬朝報」に入社。同年一一月社会主義研究会に入り、九七年七月結成の普通選挙期成同盟会では片山潜らとともに幹事となる。一九一〇年の大逆事件に連座して検挙され、天皇暗殺計画の主謀者として処刑された。
12　堺利彦（一八七一～一九三三）：明治～大正時代の社会主義者。一九〇三年に平民社を創立、週刊「平民新聞」を発刊して反戦運動を展開する。一九〇八年に赤旗事件で入獄、結果的に危うく大逆事件の難を免れる。二二年の日本共産党創立では初代委員長。

す。社会主義協会では、この車会党の存在を伝えることで、知識人たちの活動以前にまず労働運動が先んじて存在していたのだ、と教えたかったのですね。

吉田松陰が左右に与えた影響

池上　なるほど。一八八九（明治二二）年の大日本帝国憲法公布、さらに翌一八九〇年の第一回衆議院議員選挙実施で自由民権運動が目指していた二大目標が達成されると、三極の分節化はいよいよ加速していきますね。

宗教に関しては一八九二（明治二五）年に序章でも触れた出口なおが「艮《うしとら》の金神《こんじん》」のお告げを聞いて大本を立宗しています。

左翼の胎動と言えそうな動きとしては、一八九七（明治三〇）年に、日本最初の労働組合とされる「労働組合期成会」（第二章で詳述）が設立されています。

右翼に関しては、一八八一年に頭山満が日本初の右翼団体である玄洋社を結成し、在野の立場から日清戦争開戦を後押ししたことはすでに触れましたが、戦勝により日本に割譲されるはずだった遼東半島の領有権を、一八九五（明治二八）年にロシア、フランス、ドイツの三国干渉により放棄させられたことは、彼ら対外進出論者たちに耐え難い屈辱と受けとめられました。

彼らは日本の大陸進出をより強力に後押しする必要があると考え、一九〇一（明治三四）年、玄洋社の創設メンバーの甥である内田良平《うちだりょうへい》[13]を中心に黒龍会《こくりゅうかい》を結成しました。黒龍会の「黒龍」とは、満州とロシアの国境を流れる黒竜江（アムール川）から取ったものです。

黒龍会を通じて朝鮮半島や満州、シベリアなどに送り込まれた者の中には、ロシア情勢の調査や各種の政治活動で実際に暗躍する者もおり、こうした海外で暗躍する右翼たちは、黒龍会系以外の、単に現地の利権と結びつこうとした者も一括りにして「大陸浪人」と総称されました。

佐藤　玄洋社や黒龍会などの右翼が何によって特徴づけられるかといえば、第一にその対外進出、侵略の思想であり、彼らのこの思想の源泉には、やはり吉田松陰《よしだしょういん》がいます。

よく知られているように松陰は一八五四（嘉永七）年に黒船（ポーハタン号）に乗り込んでアメリカに渡ろうとして捕縛され、長州に強制送還されて野山獄《のやまごく》に繋がれることになるのですが、松陰はこの密航を計画した動機を、『幽囚録《ゆうしゅうろく》』という手記で明かしています。

ここで松陰は、次のようなことを書いているんです。

13　内田良平（一八七四〜一九三七）：右翼運動、国家主義運動の指導者。福岡県に生まれる。玄洋社に学び、一九〇一年に黒龍会を結成、大アジア主義を唱える。

〈日は升《のぼ》らざらば則ち昃《かた》むき、月は盈《み》たざれば則ち虧《か》け、國は隆《さか》んならざれば則ち替《すたれ》る。故に善く國を保つ者は、徒《いたずら》に其れ有る所を失うこと無からず、又た其れ無き所を増すこと有り。今ま急に武備を修め、艦略具《そな》え、礮略足らし、則ち宜しく蝦夷を開墾して、諸侯を封建し、間に乗じて加摸察加《カムチャツカ》隩都加《オホーツク》を奪《かちと》り、琉球を諭し朝覲會同し比《ひ》して內諸侯とし、朝鮮を責め、質を納め貢を奉る、古《いにしえ》の盛時の如くし、北は滿洲の地を割《わ》り、南は臺灣・呂宋《ルソン》諸島を牧《ぼく》し、漸に進取の勢を示すべし。然る後に民を愛し士を養い、守邊を愼みて、固く則ち善く國を保つと謂うべし。然らずんば、群夷爭聚の中に坐し、能く足を擧げ手を搖らして國の替《すたれ》ざる無き者は、其れ幾《あやう》き與《かな》。〉

（現代語訳　※奈良本辰也『吉田松陰著作選』（講談社学術文庫）より引用）

〈太陽は昇っていなければ傾き、月は満ちていなければ欠ける。国は盛んでいなければ衰える。だから立派に国を建てていく者は、現在の領土を保持していくばかりでなく、不足と思われるものは補っていかなければならない。

　今急いで軍備をなし、そして軍艦や大砲がほぼ備われば、北海道を開墾《かいこん》し、諸藩主に土地を与えて統治させ、隙《すき》に乗じてカムチャツカ、オホーツクを奪い、琉球にもよく言い聞かせて日本の諸藩主と同じように幕府に参観させるべきである。また朝鮮を攻め、古い昔のように日本に従わせ、北は満州から南は台湾・ルソンの諸島まで一手に収め、次第次第に進取の勢を示すべきである。その後に人民を愛し、兵士を育て、辺境の守備をおこたらなければ、立派に国は建っていくといえる。そうでなくて、諸外国の争奪戦の真中に坐り込んで、足や手を動かさずにいるならば、必ず国は亡びてしまうだろう。〉

池上　日本を外国の侵略から守るためには、朝鮮を勢力下に置き、満州、台湾、さらにフィリピンも占領して強国にならなければならず、それができなければ衰退する、と言っているわけですか。たしかに、明治から昭和にかけての政府・軍部が実行したプランを先取りしているというか、むしろ松陰の構想を後世の為政者たちがなぞったかのように読めてしまいますね。

佐藤　まさにそのとおりで、右翼思想の根本には、この松陰イズムがずっと脈打っていたのは間違いありません。ただ松陰が影響を及ぼしたのは右翼だけだったわけでもありません。当局から苛烈な弾圧を受けようと屈することなく戦おうとするメンタリティに関しては左翼にも濃厚に受け継がれました。

池上　特に新左翼には当てはまりそうですね。

佐藤　あるいは松陰と並んで幕末の重要な思想家である横井小楠《よこいしょうなん》にしても、左右の両極に影響を与えた面があります。小楠という人は、佐幕派・倒幕派の別に関係なくどちらの陣営の大物からも尊敬され、彼らから意見を求められる人物でした。

池上　勝海舟《かつかいしゅう》、松平春嶽《まつだいらしゅんがく》、徳川慶喜《とくがわよしのぶ》、坂本龍馬《さかもとりょうま》、木戸孝允《きどたかよし》、由利公正《ゆりきみまさ》……。すごい交友関係ですよね。

佐藤　小楠も本質的には攘夷派であり、ペリーの砲艦外交は外交上筋の通らない無法であると批判していました。しかしその一方で、鎖国という制度が所詮は日本だけで通じるゲームのルールでしかなく、グローバルに適用するのは土台無理があることも知っていた。そして同時に、だからといってすぐに開国してしまうと社会に大きな混乱を招くので、周到に準備してから国を開くべきであると、あくまで現実に即した思考・発想の持ち主でした。

幕末から明治初期の混沌としたエネルギーは、一方では吉田松陰に代表される観念的な方向に向かう一方で、横井小楠に代表される現実主義の方向に向かった面もありました。

池上　〈観念主義＝右翼〉〈現実主義＝左翼〉だったわけでもなければ、その逆の構図というわけでもない。右翼も左翼も、どちらの陣営ともこの二面性を少しずつ抱え込んでいった、ということになるでしょうか。

「想像の共同体」としてのマスメディア誕生

佐藤　自由民権運動に対する私の評価は先に述べたとおりではあるのですが、この運動に同期して、世の中にマスメディアが本格的に普及し、その役割が確立されていったことは非常に重要だと思います。

池上　日本初の日刊紙である「横浜毎日新聞」が一八七一(明治四)年一月に創刊されたのに続き、一八七二年には「東京日日新聞」、「郵便報知新聞」「日新真事誌」などが相次いで創刊されましたね。

このうち「日新真事誌」はイギリス人のジョン・レディー・ブラックが創刊した日本語の新聞で、当初は明治政府に都合のいい意見を掲載する御用メディアだったのが、当時まだ治外法権だった外国人が発行している利点を活かし、しだいに政府批判も載せるようになりました。

一八七四年一月に板垣退助が「民撰議院設立建白書」を左院(明治政府が開設した、官選の議員だけで構成される立法諮問機関)に提出すると、その内容を特ダネとして掲載し、これによって民権派の新聞の代表格のひとつとみなされるようになりました。

ここから新聞各紙が、「今すぐに憲法を制定し国会を開設せよ」と急進論を掲げる民権派と、時期尚早であるとする国権派の二派に分かれてお互いの意見を紙面でぶつけあうようになり、新聞は一気に黄金時代を迎えました。

たくさんあった民権派新聞の中でも、特に民権派の牙城として有名だったのは、徳川将軍家の元侍講だった儒学者・成島柳北《なるしまりゅうほく》[14]が一八七四年に創刊した「朝野《ちょうや》新聞」でした。

佐藤　重要なのは、こうして普及した新聞を多くの国民が読んだことで、「想像の共同体」が生まれたことです。

池上　アメリカの政治学者ベネディクト・アンダーソンが、一九八三年の著書『想像の共同体』（邦訳は一九八七年）で示した考え方ですね。

政府の発表や、凶悪な事件、あるいは有名人のスキャンダルなど、ある期間に起こった様々な出来事を、ひとつの紙面の中に提示する新聞が世の中に登場したことで、人々はその紙面に書かれている内容が、ある「一つの社会」で同時に起きていることだと初めて意識できるようになった。そしてこの意識を共有できる範囲こそが「国民」という「想像の共同体」なのであり、一八世紀のヨーロッパで国民国家とナショナリズムが芽生えたのは、資本主義経済と印刷技術の発展により、出版・新聞産業が興隆した必然的結果なのだ、とアンダーソンは考えました。

同じことが日本でもようやく起きたということなのでしょうね。

キリスト者・内村鑑三と足尾鉱毒事件

池上　さて、一八八九（明治二二）年の大日本帝国憲法発布、さらに翌一八九〇年の第一回衆議院議員選挙実施により、自由民権運動が掲げていた二大目標が一応達成されると、新聞・メディアの役割も少しずつ変化していきました。中でも大きな存在感を発揮したのが、一八九二年に黒岩涙香《くろいわるいこう》[15]が創刊した「萬朝報《よろずちょうほう》」です。

黒岩涙香

黒岩涙香は、海外小説の舞台や人名を日本式に改めた『巌窟王《がんくつおう》』（アレクサンドル・デュマの『モンテ・クリスト伯』が原案）や『噫無情《ああむじょう》』（同じくヴィクトル・ユゴー『レ・ミゼラブル』）などの翻案小説、あるいは日本初の探偵小説とされる『無惨』など小説分野の仕事でも有名ですが、その彼が創刊し

14　成島柳北（一八三七〜一八八四）：漢詩人、随筆家、新聞人。新政府には仕えず、自ら「無用の人」と称し、新時代風俗への嘲罵をほしいままにした。一八七四年以後「朝野新聞」社長に就任。

15　黒岩涙香（一八六二〜一九二〇）：翻訳家、評論家。「改進新聞」、「絵入自由新聞」、「都新聞」などの記者生活を経て、一八九二年に「萬朝報」を創刊。一方で欧米の探偵小説の翻訳を試み、『法廷の美人』、『人耶鬼耶』で世評を得、広く知られるに至った。

た新聞は、政府高官や経済人などの不祥事、特に愛人問題を容赦なく追及した、今で言うところの「文春砲」の元祖のような新聞でした。

このスキャンダル路線で一八九九（明治三二）年末には最大発行部数三〇万部を記録し東京最大の新聞となりますが、やがて飽きられて部数が落ち始めると、涙香は優秀な記者を揃えて記事の質を高めようと考え、外部に人材を求めました。

そうして「萬朝報」に集まったのが、内村鑑三《うちむらかんぞう》、幸徳秋水、堺利彦……。この三人のうち、幸徳秋水と堺利彦は戦前の社会主義者の二大巨頭にして、本書の第二章の主役的な存在といえますね。

佐藤　第二章ではアナキズムも重要なテーマになりますが、戦前の代表的アナキストのひとりである石川三四郎《いしかわさんしろう》[16]も、実は「萬朝報」の記者出身です。

池上　幸徳秋水や堺利彦、石川三四郎については第二章で詳しく話すことになるでしょうから、ここでは内村鑑三についてだけ簡単に紹介しておきましょう。

一八六一（万延二）年に高崎藩士の長男として生まれた内村は、維新後に入学した札幌農学校（現・北海道大学）在学中にアメリカ人宣教師から洗礼を受けてキリスト教に改宗。アメリカ留学を経て独自のキリスト教観を確立し、帰国後の一八九〇（明治二三）年からは、第一高等中学校の嘱託教員として働いていました。

有名な「内村鑑三不敬事件」は、翌一八九一年一月、第一高等中学校の講堂で行われた教育勅語の「奉読式」で起こりました。この式典では教員や生徒たちが教育勅語の前に出て明治天皇の御名(署名)に最敬礼をしなければいけないとされていたのですが、内村はこれが自分の信じる神への背信行為に当たると感じ、敬礼だけで済ませ最敬礼はしなかったのです。この態度が同僚教師や生徒たちから批判されただけでなく、新聞に取り上げられて社会的な糾弾対象にまでなってしまい、内村は体調を崩し退職を余儀なくされました。

内村はここから数年のあいだ不遇を託《かこ》ちながら執筆に専念――主著『余は如何にして基督信徒となりし乎』もこの時期の著作です――するのですが、その内村を涙香が一八九七(明治三〇)年、「萬朝報」の記者として誘ったというわけです。

「萬朝報」記者としての内村が特に強い関心を抱いたのが足尾鉱毒事件でした。

足尾鉱毒事件について一応解説しておくと、鉱山事業家の古河市兵衛《ふるかわいちべえ》が足尾銅山(栃木県足尾《あしお》村)を買収し開発したことにより鉱毒ガスや鉱毒水などの有害物質が排出され、周

16　石川三四郎(一八七六〜一九五六)：アナキスト。一九〇二年「萬朝報」に入社、理想団講演会で活躍。一九〇三年幸徳秋水、堺利彦らの非戦論に共鳴して「萬朝報」を辞め、平民社に入り「平民新聞」に拠り非戦論を展開。平民社解散後、木下尚江らとキリスト教社会主義の雑誌『新紀元』を発行した。

辺の村々が甚大な被害を受けたという、日本初の公害事件です。
内村は実際に足尾銅山に足を運び、現地の被害状況を視察すると、「萬朝報」に「無能政府」という題で、足尾の惨状を放置する政府を厳しく批判する論説を執筆し、続いて「鉱毒地巡遊記」という全四回の連載記事を書きました。一部だけ引用してみましょう。

〈世に災害の種類多し、震災の如き、海嘯の如き、洪水の如き、災《わざわい》は災たるに相違なきも、爾かも之れ諦め難きの災にあらず、最も耐え難き災は天の下せし災にあらずして人の為せし災なり、天為的災害は避け得べからず、人為的災害は避け得べし、而して鉱毒の災害は後者に属し、而かも其最も悲惨なる者なり。
悲しむ者は一府四県の民数十万人なり、喜ぶものは足尾銅山の所有者一人なり、一人が富まんが為めに万人泣く、之を是れ仁政と言うべき乎。

(中略)

語を寄す、世の宗教家よ、一日の間を窃《ぬす》んで行て被害地を目撃せよ、諸氏は信仰上大に益する所あらん、世の小説家よ、杖を渡良瀬川沿岸に曳き見よ、諸氏は新なる趣向を得て一大悲劇を編むを得ん、詩人よ、農夫の貧と工家の富とを比対し見よ、諸氏の韻文に新たに生気の加えられるを見ん、足尾銅山鉱毒事件は大日本帝国の大汚点なり、(中略)之を是

れ一地方問題と做《な》す勿れ、是れ実に国家問題なり、然り人類問題なり……〉
ですね。
内村は足尾銅山からもたらされる鉱毒は天災ではなく、経営者である古河市兵衛が起こした「人災」であり、鉱毒問題が一地方の問題でなく国家問題で人類の問題と訴えたわけですね。

佐藤　内村は札幌農学校で土壌学を学んでいたために、現地で目の当たりにした鉱毒汚染の惨状が普通の人以上によく理解できたと言われています。

池上　内村は「萬朝報」の社主である黒岩涙香、さらに同僚である堺利彦や幸徳秋水らと一九〇一（明治三四）年に「理想団」という民間団体を結成し、この団体を通じて足尾鉱毒問題に限らず労働問題や女性問題など、当時の社会問題を幅広くとりあげては社会改良を訴える活動を開始しました。

この理想団での活動や「萬朝報」在社中の読書を通じて、堺や幸徳は社会主義への関心を強めていったと言われますね。

佐藤　社会主義という思想そのものは、明治維新直後の一八七〇（明治三）年には早くも紹介されていました。後に帝国大学二代総長となる国法学者の加藤弘之《かとうひろゆき》が、西洋の立憲思想や人権思想などについて解説した著書『真政大意』の中で、西洋には「コムミュニスメじゃのあるいはソシアリスメ」という思想があり、これは要するに「今日天下億兆の相生養する上において、衣食住をはじめすべて今日のことを何事によらず、一様にしようという」、「各人の私有というものを相合して、ことごとく政府で世話をやいて」、「貧富のないようにしようという、いわゆる救時の一法」であると紹介しているのです。

池上　幸徳秋水に関しては、「萬朝報」在社中の一八九七（明治三〇）年から九八年頃にドイツの経済学者・社会主義者アルベルト・シェフレの『Die Quintessenz des Sozialismus』（『社会主義真髄』）を読み、この時以来「余は社会主義者なり」と宣言したと後に明かしています。

佐藤　堺と幸徳秋水は「萬朝報」を退社後、社会主義結社「平民社」を結成し、ここを拠点に「平民新聞」を創刊しました。この新聞を通じて日露戦争に反対する非戦論を展開し、さらに平等の思想としての社会主義を啓蒙しようとしました。

池上　ただ内村は、ここに加わることはありませんでした。足尾鉱毒事件についても、一九〇二（明治三五）年を最後に何も発言しなくなり、聖書研究に没頭するようになりました。

佐藤　この間の内村の心境の変化について、内村鑑三研究の第一人者である宗教史学者・鈴木《すずき》範久《のりひさ》氏（立教大学名誉教授）が指摘しているのは、内村にとって足尾銅山の公害とは単なる物質的な汚染である以上に、古河市兵衛という人物のみだらな心の欲望が生み出した、人間の堕落の象徴だったということです。ところが内村は反対運動とかかわる中で運動家や被害者である農民の中にも欲望による堕落があるのを見てしまい幻滅してしまった。

これをきっかけに内村は、人々を欲望による堕落から引き離すには社会ではなくまず個人の改良こそ優先すべきであると考えるようになり、だから自分の原点である聖書に立ち返ったというわけです。

池上　なるほど。見限られてしまったわけですか。

佐藤　ただ、内村と足尾の反対運動が最後まで足並みを揃えられなかったことには、左翼の側が抱える根本的な問題もあると思います。前述のように、右翼は宗教との親和性が高いので宗教とも結託し、宗教の力を利用することもできたわけですが、左翼の場合は核の部分に無神論があるがゆえに宗教の活用ということはなかなかできなかった。

ですから、第二章で話すことになる社会主義運動の黎明期には片山潜《かたやません》などキリスト教社会主義者の活躍も目立つのですけど、彼らの存在感はすぐに薄れていきました。

池上　堺利彦や幸徳秋水、あるいは片山潜らがどうやって社会主義思想を知り、さらにそれがどのように世の中に広まっていたのか、次の章ではその過程を見ていくことにしましょう。いわば「左翼の成長史」ですね。

第二章
社会主義運動と「大逆事件」

知識人たちが傾倒した社会主義、そして無政府主義。
左翼の萌芽は弾圧をいかに生き残るのか。

《第二章に関する年表》

一八九八年	社会主義研究会、設立（安部磯雄・村井知至・片山潜）。
一九〇〇年	社会主義協会の設立（社会主義研究会を社会主義団体として改組。幸徳秋水・安部磯雄・片山潜）。
一九〇一年	安部磯雄らが社会民主党を結成、即日結社禁止。
一九〇三年	堺利彦、幸徳秋水が週刊「平民新聞」創刊。
一九〇四年	日露戦争、勃発。
一九〇五年	幸徳秋水が新聞紙条例で入獄、獄中でクロポトキンを知り、無政府主義に傾倒。出獄後の一一月一四日に渡米。日比谷焼き打ち事件。
一九〇六年	日本社会党結成（日本初の合法社会主義政党）。
一九〇八年	赤旗事件（社会主義者を一斉検挙）。
一九一〇年	大逆事件、検挙始まる。『青鞜』創刊。
一九一二年	明治天皇崩御。鈴木文治が「友愛会」を結成。
一九一四年	第一次世界大戦、勃発。片山潜がアメリカに亡命。

日本左翼の源流

池上　さて、この第二章からはいよいよ、日本社会に本格的な左翼が誕生し、大きな勢力へと育っていく過程を追っていくことにしましょう。

明治政府の誕生から十数年のあいだに様々な社会矛盾が噴出し、これらに対する異議申し立て運動が行われるようになったものの、少なくとも自由民権運動の頃までは、その原動力となったのは左翼とも右翼とも新宗教とも判別し難い、未分化なエネルギーであった、というのが前章で佐藤さんが行った重要な指摘でした。

しかし、松方デフレによって日本が本格的な資本主義国になるとともに帝国主義の時代に突入すると、社会への不満表明も、もはやそれまでのような混沌としたあり方ではいられなくなりますね。

佐藤　そうですね。社会への不満を抱える人々のうち、前章で触れた吉田松陰イズムの強烈な影響のもと、今の日本は弱く、このままでは外国に滅ぼされかねないので、逆に近隣諸国を侵略することで強い国になっていくべきだと考えた一群は右翼と呼ばれるようになりました。

自由民権運動の衰退後、玄洋社を旗揚げした頭山満や、玄洋社から枝分かれする形で黒龍会を立ち上げた内田良平らがその代表格です。

一方で「世の中が良くなってほしい」と切実な願いを抱えているものの、西洋の新しい思想とも松陰的な思想とも縁遠い日常を送っており、神や仏の慈悲にすがることで救ってもらえそうだと感じた人々は、新宗教に包摂されました。

最後に、今起きている社会矛盾を解消するには、社会の体制、枠組みそのものを変えていく必要があると考えた人々も少なからずおり、彼らは変えるべき社会のモデルを探し求めて、西洋から入ってくる新しい思想を拠り所にしました。ここに日本左翼の源流が生まれます。資本主義の深化は、こうした知性を重視する層を大衆、労働者階級のなかにも生み出し、増やしていきました。

日本最初の労働組合、誕生

池上　特に日清戦争を通じて産業革命が進んで各地に工場が増え、鉄道も稼働するようになると、近代的な産業に従事する労働者が増えたことの裏返しで本格的な労働運動も生まれてくるようになりましたね。一八九七（明治三〇）年四月六日には日本最初の労働組合、正確には労働組合の結成を呼びかけるための組織である「職工義友会」が結成され、七月に「労働組合期成会」に改称されました。

この会の幹事長（リーダー）であった高野《たかの》房太郎《ふさたろう》[17]は、アメリカでの起業を目指して渡米し、個人宅での下働きや製材所勤務などをするうちに労働運動に興味をもつようになり、現地の労働運動家たちと知り合って彼らから直接に組合の組織論を学んだという人物でした。

高野は「職工義友会」を立ち上げる六年前の一八九一年の時点で、サンフランシスコで働く日本人の靴職人や洋服仕立て職人らを集めて同名の団体をすでに組織した経験もありました。これを踏まえて、帰国後に改めて日本でも労働運動を始めようとしたわけですね。

高野らは各地で演説会を開いて職業別組合の結成を呼びかけました。これを受けて、東京砲兵工廠などの大工場や金属加工所で働く労働者が加盟する「鉄工組合」のほか、日本初の民間鉄道会社「日本鉄道」の機関士や火夫の組合である「日本鉄道矯正会」、印刷業労働者たちの「活版工組合」などが次々と結成され、これらが日本で最初の本格的労働組合となっていきました。

高野が組織を立ち上げるにあたって日本の労働者に呼びかけた「職工諸君に寄す」とい

17　高野房太郎（一八六九〜一九〇四）：日本労働組合運動の創始者。一八九七年に沢田半之助と「職工諸君に寄す」という檄を発して組合結成を呼びかけ、労働組合期成会を結成した。

う文章があります。少し長くなりますが引用してみましょう。

〈来る明治三十二年は実に日本内地開放の時期なり。外国の資本家が低廉なる我賃銀と怜悧なる我労働者とを利用して、巨万の利を博せんとて我内地に入り来るの時なり。左《そ》れは性行、風俗、習慣の相異なるのみならず、兼ては労働者を苛遇するとの評ある彼等外国の資本家は、今より三年ならずして将《まさ》に諸君の雇主たらんとす。形勢此《かく》の如くなれば、諸君は今よりして早く此に対する準備をなさずしては、或は欧米労働者の受けたると均しき弊害に苦しむなきを必すべからざるのみならず、亦《また》近時の有様を以てすれば、同じく我国民たる雇主と諸君との関係も、工場、製造所の増すと共に、日々変化を生じて到底実利以外情実の入るを許さず、強き者は勝ち弱き者は破られ、優る者は栄へ劣る者は倒るゝの時世に赴きつゝあることとなれば、此間に立ちて能く勝ち能く栄ゆることは仲々容易の業にあらず。況《ま》して外国人も入り来ることとなれば、諸君は覚悟の上に覚悟をなし、かの他人の為めに苦境に陥れらるゝことなく、競争の巷に寛《ゆるや》かに其地位を保つの工夫を為すこそ肝要ならめ。

夫《そ》れ労働者なるものは、元来他の人々の如く其身体の外には生活を立て行くべき資本なき者にて、所謂《いわゆる》腕壹本脛《すね》壹本にて世を暮し行くことなれば、何か災難に出遇《であい》て身体自由ならざることゝなり又は老衰して再び働らくこと能はざるに至る時は、忽《たちま》ち生活の道を失ふて路頭に迷ひ、又は一旦死亡するときは、跡に残れる妻子は其の日の暮しに苦しまん。其有様は恰《あたか》も風前の燈火の如くにして誠に心細き次第なりと謂ふべし。左れば労働者たる人は、古人の所謂易きにありて難きに備へよとの教を守り、其身体の強健なる内に他日の不幸に備ゆるの道を設けでは人たるの道、夫たり親たるの道に背《そむ》くも計り難し。実に諸君の熟考を要する所なり。〉

おそらく高野は、アメリカ滞在中に労働者が苛烈なこき使われ方をしている例を見聞きし、あるいは彼自身も少なからずひどい目に遭っていたのでしょうね。近い将来、欧米の強欲な企業家たちが日本に進出してくるはずで、そうなれば日本の労働者たちも欧米の労働者たちのような苦境に立たされるだろうし、そうでなくとも労働者と雇用主の関係は欧米的なドライでシビアなものになっていくだろうから、その時に備えて労働者の側も団結しなければいけない、と訴えています。

全体的に労働者や職人たちの生活互助会的な組織を作ろうとしていたことも窺え、この後の演説で高野は、次のようなことも言っています。

〈或人は云ふ「今日のこと誠に云ふに忍びず。富者益々富み貧者益々貧し。労働者の蒙《こう》むる不正其沈淪せる境遇実に悲憤の極にして、之を改良せんとする唯《ただ》革命あるのみ。貧富を平均するにあるのみ。」と誠に愉快の議論にして、論者の云ふ如く、革命に依り全然改良の実を挙げることを得ば、結構の次第なれども、世間のことは論者の思ふ如く左程単純の者にあらず。意外の事起り為めに全く当初の目的を達し得ざるの奇観は、大紛擾《だいふんじょう》の下に於て屢々《しばしば》見る所、諸君の容易に賛成すべきことにあらず。且つ又社会の進歩なる者は常に遅緩にして秩序ある者なるに、革命なる者は之に反して急速突飛を要素とすることとなれば、両者の行道全然相反するのみならず、元来貧富平均のことたる人に賢愚の別ある以上は、其財産に不平均あるは誠に已《や》むを得ざることとなれば、貧富平均論は言ふべくして行ふべきことにあらず。左れば我輩は諸君に向つて断乎として革命の意志を拒めよ、厳然として急進の行ひを斥けよ、尺を得ずして尋《ひろ》を求むるの愚は、是を貧富平均党に譲れよと、忠告するに躊躇せざる者なり。〉

つまり、労働組合は労働運動だけに専念するべきであって、労働運動が革命運動に転化するのは避けなくてはいけない、というわけですね。

日本社会主義の父・片山潜の活躍

佐藤　高野個人の信念としてはそうだったのでしょうが、彼がこの労働組合期成会を結成した際に演説会に参加してくれと頼んだ九歳年長の友人・片山潜[18]は、のちに日本を代表する社会主義者となり、最終的にはソ連に亡命してコミンテルン（共産主義者の国際組織）の幹部にまでなる男です。

片山潜

片山は一八五九（安政六）年に美作国羽出木《はでき》村（現在の岡山県久米南《くめなん》町）の農家の子として生まれ、上京後、印刷工などをしながら苦学しましたが生活苦で挫折。しかし一八八四（明治一七）年、二五歳のときに「アメリカでは貧しい書生でも学問ができる」と聞いて渡米しました。そして現地で皿洗いやコックなどをしながらアイオワ州のグリンネル大学で文学士と文学修士、さらにイエール大学神学部で神学士の学位を取得し、留学中に

18　片山潜（一八五九～一九三三）：日本の労働運動、国際共産主義運動の指導者。一八九七年、高野房太郎らとともに労働組合期成会を結成、その機関紙「労働世界」の編集長となる。一九一四年に渡米、アメリカ共産党、メキシコ共産党の創立に力を尽くしたあとモスクワに赴き、二二年にはコミンテルンの執行委員会幹部会員に選ばれ、日本共産党の設立や綱領作成など日本の共産主義運動を指導した。

はキリスト教の洗礼も受けました。

ところが一八九六（明治二九）年に帰国した後は思ったような職に就けず、アメリカ滞在中に親しくなった宣教師の支援を受けて東京・神田三崎町にあった自宅を改造し、キリスト教の理念にもとづく地域福祉施設「キングスレー館」を運営し、貧しい人々のための生活支援や教育支援を行っていました。

そしておそらくはその頃に高野と知り合い友人関係になり、演説会への参加を誘われたことから期成会の「幹事」として労働運動に関わるようになりました。期成会発足と同じ年に創刊された会の機関紙「労働世界」の主筆も片山です。

池上　片山自身、後年著した『自伝』で、

〈予はキングスレー館の主人株ではあつたが別に之と云ふ定まつた職業もなければ、又金まうけも為て居無いし、何も演説が上手と云ふ訳でも無く或は労働問題の専門家でもなかつたが、演説家の頭数には利用されて、何時でもきまつて出席して演説した。で段々其の労働社会に知られるに至り……到頭労働問題の専門家と成るやうに成つた。

其の頃の予はあらゆる労働問題に関した演説会に出席したが相談会にも加ただけで別に之れが幹部の一人でも何でもなかつた。（中略）

予が労働運動に身を入れて尽力し始めたのは『労働世界』を発行する様になつてからである。〉

と書いています。のちに「日本社会主義の父」と呼ばれることになる片山潜ですが、この演説会への参加と、「労働世界」主筆としての経験が彼を労働運動にのめり込ませたのですね。

「労働世界」主筆時代の片山は、日本初の労働者保護法制であり、現在の労働基準法の母体としても知られる「工場法」(一九一一年成立)の制定などを熱心に訴えています。

高野と片山の力により、労働組合期成会の会員は一八九九年に五七〇〇人に達するなど急拡大を遂げますが、当局は日清戦争以来、労働運動が急激に盛り上がったのを警戒し、一九〇〇(明治三三)年に労働運動の規制を主目的に治安警察法を施行しました。

これにより組合の集会や演説内容が制限されたほか、労働組合にとっては伝家の宝刀といえるストライキも事実上の違法行為にされてしまいました。

その結果、労働組合期成会の勢いは完全に水を差され、一九〇一(明治三四)年にはあっさり解散に追い込まれています。

マルクスを絶対視しなかった日本社会主義者たち

佐藤　もっとも片山は、この間に社会主義への傾倒を深めており、もともと労使（資）協調路線だった高野との間にはとっくに溝ができていました。

池上　労働組合期成会が結成された翌年の一八九八（明治三一）年には社会主義の研究を行う日本で初めての団体である「社会主義研究会」が結成され、片山もこの会員に名を連ねていますね。

佐藤　社会主義研究会が設立された場所は、東京・三田にあったユニテリアンの教会「惟《い》一館《いっかん》」であり、研究会の会長も惟一館の説教者である村井知至《むらいともよし》[19]でした。

ユニテリアンの特徴はキリスト教の大枠を維持しながらも、キリスト教の本質だと考えられている「父と子と聖霊」の三位一体性（Trinity）を排除し、神の単一性（Unity）を重視していること、イエス・キリストはキリスト教における「偉大な先生」ではあっても神の子であるというドグマ（教義）は排除していることです。

社会主義研究会には村山と片山のほか、安部磯雄、佐治実然《さじじつぜん》、幸徳秋水、河上清《かわかみきよし》[20]、岸本能武太など十数人の会員がいたことが確認されていますが、幸徳秋水以外の大半がユニテリアンを中心としたキリスト教の関係者でした。

池上　現代人の感覚で「社会主義を研究していた」と聞くと、条件反射的にマルクスの思想を学んでいたのだろうと思いこんでしまいがちですが、片山潜や幸徳秋水ら、この時代の若い社会主義者たちの場合は必ずしもそうではなかったのですよね。

佐藤　ええ。彼らが学んでいたのはマルクスの理論にかぎらず、フーリエやロバート・オウエンらの空想的社会主義のほか、プルードン、クロポトキン、バクーニンなどの無政府主義、あるいは一九世紀末にイギリスで知識人たちに支持された「フェビアン協会」派の研究も含めた、雑多な社会主義でした。

この頃の日本は日清戦争に勝って帝国主義国の仲間入りをしたばかりでしたが、良くも悪くも仲間入りしたおかげで、イギリスやドイツ、フランスなど他の帝国主義国の進歩的知識人たちが考えた最新の思想が大量に流入し始めていました。片山や幸徳、あるいは堺利彦らは持ち前の、驚異的なまでの外国語能力を駆使して、それらを貪欲に、並列的に吸収していったのです。

19　村井知至（一八六一～一九四四）：明治時代の社会主義者。東京・三田の惟一館でユニテリアン主義を講じ、一八九七年に労働組合期成会評議員、翌九八年には社会主義研究会を組織するなど、社会主義の宣伝・研究に乗り出した。

20　河上清（一八七三～一九四九）：新聞記者、評論家。「萬朝報」に入社。「労働世界」の編集に協力したほか、『中央公論』『太陽』などに多くの論文を寄稿した。一九〇〇年に社会主義協会に参加。一九〇一年に社会民主党創立にも加わった。

木下尚江

池上　考えてみればあたりまえの話ですが、この時代の社会主義者は後世の左翼のようにマルクスを絶対視することなく、マルクスに批判的だったプルードンやクロポトキンの思想も「平等を実現するための思想」として先入観なく受け入れていきました。

佐藤　フェビアン主義なんて優生学との親和性が高くて、適者生存の社会ダーウィニズム的な発想から産児制限を主張したこともある思想なんですけどね。そういうものも含めて、手当たり次第に学んでいったわけです。

そうこうするうちに彼らは社会主義を研究しているだけでは飽き足らなくなり、一九〇〇（明治三三）年一月に「社会主義協会」を設立し、翌一九〇一年の三月二日には神田青年館で「社会主義学術大演説会」を開催しました。そして同年五月一八日には、片山潜、安部磯雄、木下尚江《きのしたなおえ》[21]、幸徳秋水、河上清、西川光二郎《にしかわこうじろう》[22]の六人を創立者として、「我党は社会主義を実行するを以て目的とす」を党則第一条に掲げる日本初の社会主義政党「社会民主党」を結成しました。

この六人も、幸徳秋水以外の五人は全員キリスト教徒です。

池上　日本の社会主義黎明期にキリスト教社会主義者たちの存在感がいかに大きかった

か、あらためて実感させられますよね。

「社会民主党」が掲げていた八項目の「理想綱領」である、

「人種の差別、政治の異同に係わらず、「人類は皆同胞なり」との主義を拡張すること」

「万国の平和を来すためには先ず軍備を全廃すること」

「階級制度を全廃すること」

「生産手段として必要なる土地及び資本を悉く公有とすること」

「鉄道、船舶、運河、橋梁のごとき交通手段はこれを公有とすること」

「財産の分配を公平にすること」

「人民をして平等に政権を得せしむること」

「人民をして平等に教育を受けしめるために、国家は全く教育の費用を負担すべきこと」

21　木下尚江（一八六九〜一九三七）：社会運動家、小説家。一九〇一年の社会民主党の結成に参加し、日露開戦にあたっては堺利彦・幸徳秋水らを促して非戦運動を開始し、「毎日新聞」に『火の柱』、『良人の自白』を連載して非戦論と家族制度批判を展開した。

22　西川光二郎（一八七六〜一九四〇）：明治時代の社会主義者。一九〇一年には社会民主党の創立者の一人として名を連ね、その後も平民社や日本社会党の活動家として社会主義の宣伝に努めた。

……を見ても、キリスト教的な博愛主義、人道主義の影響は感じられます。
しかしこの戦前の社会民主党は当局に結党を届け出た二日後の五月二〇日、治安警察法の規定を根拠に結社禁止処分を受けてしまいました。
社会民主党が結社禁止にあうと、社会主義協会では全国で演説会や討論会を行って社会主義の啓蒙に努め、これにより会員は一時一八〇名に達しました。しかし一九〇四（明治三七）年一一月一六日、今度は社会主義協会そのものが結社禁止処分となり、解散させられてしまいました。

佐藤　社会民主党の結社禁止により政治活動ができなくなった社会主義者たちは、再び研究に軸足を置くことで日本における社会主義の命脈を保とうと試みました。
この間の彼らの苦労については、幸徳秋水や堺利彦の同僚として「萬朝報」で働いていた石川三四郎が、後年に石川旭山の名でまとめた本の中で次のように書かれています。

〈社会民主党の禁止せらるゝや、予等は一時殆ど中絶したる社会主義研究会を再び継続し、学術団体として社会主義の弘通に力めんとせり。而して此時や、政府当局の物色稍厳なるに至ると同時に、社会主義研究会発起者の多数はいつか離れ去り、会の形式性質倶に全く一変せり。其中心は最早ユニテリアン会員の学者に非ずして、労働運動者及び新聞雑誌記者なりき。其名は社会主義研究会に非ずして社会主義協会となりき。〉（石川旭山『日本社会主義史』）

池上　当初は存在感を誇っていたキリスト教社会主義者の知識人たちは政党の結成を禁じられたのをきっかけに離れていき、再スタートを切った社会主義協会は労働者や自分たちジャーナリスト主体の組織になったのだというわけですね。

佐藤　石川自身も元々は本郷教会で洗礼を受けたキリスト教社会主義者だったのですが、一九〇四（明治三七）年に日露戦争が勃発し、日本のキリスト教界が戦争支持の立場に立つと、厳しい批判を浴びせるようになります。

左翼運動に向かわなかった民衆のエネルギー

池上　日露戦争は言うまでもなく戦前の日本にとって最大のターニングポイントのひとつですが、左翼史の中ではどう位置づけるべきでしょうか？

佐藤　そうですね。まず一般的な位置づけから話すと、さきほども述べた通り、日本は先の日清戦争で巨額の賠償金を勝ち取ったおかげで国内の消費拡大に成功し、松方デフレを克服することができました。そういう意味では国民も戦争の恩恵を受けましたし、「戦争は儲かる」ことを学習済みだった。だからこそ日露戦争終結時の民衆はロシアから賠償金を取れなかったことに怒って一部が暴徒化し、内務大臣官邸や交番、さらに政府寄りの新聞として知られていた国民新聞社の本社などに放火する「日比谷焼き打ち事件」まで起きてしまいました。

池上　この事件の直接のきっかけとなったのは、一九〇五（明治三八）年九月五日のポーツマス講和条約締結の当日、当時の野党だった憲政本党が開催した対露外交硬派の三万人集会がきっかけですが、この憲政本党の党首で集会の座長も務めていたのが、かつて福島事件で逮捕された旧自由党の幹部・河野広中（第一章参照）だったのですよね。また、頭山満の玄洋社や、ここから枝分かれした「黒龍会」も、集会で民衆を煽ったと言われています。

佐藤　しかし賠償金こそ取れなかったものの、日本はポーツマス条約によってロシアの満州からの撤退という戦争を始めたそもそもの目的を達成し、さらに朝鮮半島の優越権、つまり植民地化する権利を認めさせ、樺太の南半分と沿海地方の漁業権まで手に入れました。

池上　獲得した利権で言えば日清戦争をはるかに上回るんですよね。

佐藤　ですから釣りに喩えると、日清戦争で日本は魚を貰ったけど、日露戦争では漁場を手に入れたということになりますね。しかし民衆は、「釣りに行ったのに魚を持って帰れないとはどういうことだ」と町まで焼き払ってしまった。

ただ、この民衆暴動の影響はやはり甚大で、事件をきっかけにして玄洋社や黒龍会などの右派団体は民衆の間に浸透して勢力を拡大し発言力を高め、結局は軍部が大陸に進出していく後押しをしてしまいました。

一般大衆のエネルギーが暴発すると、向かう方向が右であろうと左であろうと社会をリスクに晒すことのほうが多いわけですが、明治末期の日本ではこのエネルギーが左翼的な運動には向かわなかった、というのは押さえておくべきひとつの事実です。

池上　日露戦争の勝利に民衆は右翼と一緒になって熱狂し、そして日本は本格的な帝国主義国になっていった。

「平民新聞」が打ち出した非戦論

佐藤　そういうことになります。ただこれはあくまで全体の、大きな流れはそうだったということであって、すべての民衆が戦争に熱狂したわけではありませんでした。

池上　日清戦争のときとは違い、日露戦争では必ずしも世論が一枚岩というわけではなかった。

佐藤　ええ。日清戦争の頃はまだ新聞が完全に国民生活に普及しきっていなかったので世論は戦争支持一色で、あの内村鑑三ですら「義戦」として礼賛していたほどでした。ところが日露戦争が始まる頃には新聞が完全に普及していましたから、言論が多様化し、その中には戦争に真っ向から反対するものもすでに登場していました。

その代表が、幸徳秋水、堺利彦らが設立した平民社の「平民新聞」です。

第一章の最後でも少し言及した、彼らが記者として働いていた「萬朝報」では日露戦争開戦前のある時期までは非戦論を唱えていたのに、世間の流れが開戦に傾いていくと社論を主戦論に転じ、黒岩自体も主戦論者になってしまいました。

池上　「萬朝報」の販売部数は、非戦論を打ち出した影響で激減し広告収入もガタ落ちになってしまったそうですから、経営上やむを得ないという判断を黒岩涙香はしたのでしょうね。

佐藤　しかしその判断を容認できなかった内村鑑三、幸徳秋水、堺利彦の三人は退社独立し、中でもこの時点では完全に社会主義者としてのアイデンティティを確立するに至っていた幸徳と堺は一九〇三（明治三六）年一一月一五日に週刊「平民新聞」を創刊したのですね。そして戦争真っ只中の一九〇五（明治三八）年一月二九日まで、全六四号を刊行しました。
幸徳と堺が「萬朝報」を退社した際に発表した「退社の辞」と、「平民新聞」創刊号一面に掲載された「平民社設立宣言」がありますので、それぞれ読んでみましょう。

「退社の辞」

〈予等二人は不幸にも対露問題に関して朝報紙と意見を異にするに至れり。
予等が平生社会主義の見地よりして、国際の戦争を目するに貴族、軍人等の私闘を以てし国民の多数はその為に犠牲に供せらるゝ者と為すこと、読者諸君の既に久しく本紙上に於て見らるゝ所なるべし。然るに斯くの如く予等の意見を寛容したる朝報紙も、近日外交の事局切迫を覚ゆるに及び、戦争の終に避くべからざるかを思ひ、若《も》し避くべからずとせば挙国一致当局を助けて盲進せざるべからずと為せること、是亦読者諸君の既に見らるゝ所なるべし。此に於て予等は朝報社に在って沈黙を守らざるを得ざるの地位に立てり。然れども永く沈黙して其所信を語らざるは、志士の社会に対する本分責任に於て缺《か》くる所あるを覚ゆ。故に予等は止むを得ずして退社を乞ふに至れり。予等の乞ひに対し黒岩君は寛大義侠の心を以て切に勧告せらるゝ所ありたれども、事此に至りては亦如何ともする能わず。予等は終に黒岩君其他社友の多年の好誼に背きて、一たび此に袂を分つに至れり。
但し、朝報紙編輯《へんしゅう》の事以外に於て、永く従来の交情を持続せんことは、予等の深く希望したる所にして又黒岩君其他の堅く誓約せられたる所なり。
敢て情を陳じて読者諸君の諒察を仰ぐ。

堺利彦
幸徳伝次郎〉

「平民社設立宣言」

〈一　自由、平等、博愛は人生世に在る所以の三大要義也。
一　吾人は人類の自由を完《まった》からしめんが為めに平民主義を奉持す、故に門閥の高下、財産の多寡、男女の差別より生ずる階級を打破し、一切の圧制束縛を除去せんことを欲す。
一　吾人は人類をして平等の福利を享《う》けしめんが為めに社会主義を主張す、故に社会をして生産、分配、交通の機関を共有せしめ、其の経営処理一に社会全体の為めにせんことを要す。
一　吾人は人類をして博愛の道を尽さしめんが為めに平和主義を唱道す、故に人種の区別、政体の異同を問はず、世界を挙げて軍備を撤去し、戦争を禁絶せんことを期す。

一　吾人は既に多数人類の完全なる自由、平等、博愛を以て理想とす、故に之を実現するの手段も、亦《ま》た国法の許す範囲に於て多数人類の与論を喚起し、多数人類の一致協同を得るに在らざる可らず、夫《そ》の暴力に訴へて快を一時に取るが如きは、吾人絶対に之を否認す。

平民社同人〉

池上　平民社設立宣言では、「社会主義を主張す」と明確に掲げ、そのために必要となる世論喚起を、「国法の許す範囲」という留保付きながら行っていくと宣言していますね。

佐藤　こうして創刊された「平民新聞」の創刊号は初版五〇〇〇部が売り切れてしまい三〇〇〇部を増刷、その後も平均三三〇〇部程度の部数を維持したと言われます。民衆の多数派が日露戦争前後の開戦ムードに酔う世相にあって、同紙が打ち出した非戦論は民衆から一定の支持を受けたということです。

「平民新聞」の非戦主義を最もよく表している記事の一つが、一九〇四年三月一三日刊行の第一八号社説として掲載された「露国社会党に与ふる書」です。

〈嗚呼《あゝ》露国に於ける我等の同志よ、兄弟姉妹よ、我等諸君と天涯地角、未だ手を一堂の上に取て快談するの機を得ざりしと雖《いへど》も、而《しか》も我等の諸君を知り諸君を想うことや久し。

一千八百八十四年、諸君が虚無党以外、テロリスト以外、別に社会民主党の旗幟《きし》を擁して、職工農民の間に正義人道の大主義を宣伝して以来、茲《ここ》に二十年、其間《そのかん》暴虐なる政府の迫害、深刻なる偵吏の羅織《らしょく》、古今実に其《その》比を見ず、或は西比利《シベリヤ》の鉱山に無間《むげん》の苦を受け、或は絞台の鬼と為《な》り、或は路傍の土となる者、幾千幾万なることを知らず、而も諸君の運動は之が為めに微毫《びがう》の頓挫《とんざ》を見ることなく、諸君の勇気は一難を経る毎に百倍し、遂に客《かく》臘《ろう》（＝前年十二月）露国全土の各団体を打て一丸となし、其勢力実に天に冲するに至れり。

諸君よ、今や日露両国の政府は各其《かくその》帝国的欲望を達せんが為めに、漫《みだり》に兵火の端を開けり。然れども社会主義者の眼中には人種の別なく地域の別なく、国籍の別なし、諸君と我等とは同志也、兄弟也、姉妹也、断じて闘うべきの理有るなし、諸君の敵は日本人に非ず、実に今の所謂愛国主義也、軍国主義也、然り愛国主義と軍国主義とは、諸君と我等と共通の敵也。

然れども我等は一言せざる可らず、諸君と我等は虚無党に非ず、テロリストに非ず、社会民主党也、社会主義者が戦闘の手段は、飽まで武力を排せざる可らず、平和の手段ならざる可らず、道理の戦ひならざる可らず、我等は憲法なく国会なき露国に於て、言論の戦闘、平和の革命の極めて困難なることを知る、而して平和を以て主義とする諸君が、其事を成す急なるが為めに、時に干戈《かんか》を取て起ち、一挙に政府を転覆するの策に出でんとする者にあらん乎、我等は切に其志を諒とす。而も是れ平和を求めて却つて平和を攪乱する者に非ずや。〉

池上　国どうしが戦争しているといってもそれは両国の帝国主義と資本家政府が衝突しているだけであり、両国の労働者は政府の思惑に関係なく平和的に共存できるし、そうでなくてはいけないと強く訴えたわけですね。

佐藤　ええ。この社説に対してはロシア社会民主労働党（ロシア共産党の前身）が機関紙「イスクラ」で反応してエールを送り返したほか、世界各国の社会党で翻訳されるなど大きな反響がありました。

そしてこの非戦論の広がりという下地があればこそ、日露戦争真っ只中の一九〇四年八月、オランダ・アムステルダムで開催された第二インターナショナル（社会主義者の国際組織）の大会に片山潜と安部磯雄が日本の社会主義者を代表して出席し、その冒頭で交戦国ロシアの代表プレハーノフと握手する、という出来事もありました。

のちの第一次世界大戦でも、『ジャン・クリストフ』で知られるフランスの文豪ロマン・ロランとオーストリアのユダヤ系作家シュテファン・ツヴァイクがお互いの母国が交戦中であるにもかかわらずスイスで対談し、国家による戦争とは違う流れを知識人が作り出そうとしたことがありました。片山とプレハーノフの握手は、この試みを一〇年以上先取りしていたとも言えるのです。

このように「平民新聞」が打ち出した非戦論は、日本において社会主義思想・運動が本格的に育っていくための土壌として確実に大きなものがありました。

堺利彦、幸徳秋水、中江兆民

池上　ここまでの話で堺利彦と幸徳秋水の左翼史、というより日本近代史における重要性を読者にも理解してもらえたと思いますので、ここで二人の生い立ちと、「萬朝報」に入るまでの経緯を簡単に紹介しておきましょう。

まず堺利彦は廃藩置県が行われた年である一八七一(明治四)年一月一五日、豊前国仲津郡(現在の福岡県京都《みやこ》郡)の小笠原藩士の三男として生まれました。実家は典型的な没落士族であり、貧乏でしたが、幼少時から大変な秀才として知られ、尋常中学校である豊津中学校(現・育徳館高校)は首席で卒業。一六歳で上京し、第一高等中学校(現在の東京大学教養学部）の予備校にあたる共立《きょうりゅう》学校で生涯の身の助けとなる英語を習得しました。一高には当然合格し、入学後に英語学習の雑誌を刊行してけっこうなカネを稼いだこともあったようですが、そのカネで放蕩三昧の生活をしてしまい、学費滞納で除籍処分になります。

それからは英語教師や新聞記者として働きながら一時は小説家を志望し、初の小説『悪魔』を「福岡日日新聞」に連載したこともあります。そしてその後、同郷の歴史家・末松謙澄に招かれ、幕末から明治維新にかけての長州藩史である『防長回天史』の編纂に従事していたのを黒岩涙香から声をかけられ朝報社に入社、という経緯です。

堺についてはノンフィクション作家・黒岩比佐子さんによる『パンとペン 社会主義者・堺利彦と「売文社」の闘い』（講談社）という優れた評伝が二〇一〇年に刊行されています。

大杉栄

佐藤 外国語習得にかける凄まじいまでの気魄と上達の速さは、堺に限らず明治の知識人に共通する資質ですね。堺は後に、日本初の翻訳会社「売文社」を大杉栄《おおすぎさかえ》[23]と創業することになるのですが、大杉などはもともとできた英語とフランス語に加えて「一犯一語」を標榜し、監獄に入れられるたびにエスペラント語、ロシア語、イタリア語、ドイツ語、スペイン語と使いこなせる言語を増やしていきました。

池上　幸徳秋水はさきほどの「退社の辞」にもあったとおり本名は伝次郎。堺利彦と同じ一八七一（明治四）年の一一月五日に、高知県幡多郡中村町（現在の四万十《しまんと》市中村京町）の豪商の家に生まれました。

生まれつき身体は虚弱でしたがやはり幼い頃から秀才の誉れ高く、八歳にして祖母の還暦祝いに漢詩を作ったと言われます。九歳の時には儒学者・木戸鶴州の漢学塾修明舎に入って四書五経を学び、さらに漢学の素養を高めました。

一八八七（明治二〇）年に一六歳で上京。そして翌八八年一一月頃、同郷の偉人であり、ヴォルテール、モンテスキュー、ルソーなどを日本に紹介し自由民権運動における理論的柱となった中江兆民《なかえちょうみん》の門弟となり兆民のもとで人権思想を学びました。「秋水」の号を与えたのも兆民です。

その後は板垣退助が社長を務める「自由新聞」などで記者として働くうちにジャーナリストとして頭角を現し、やはり黒岩涙香にヘッドハンティングされた、という次第です。

佐藤　幸徳秋水の師である中江兆民についても少し補足しておくと、彼は被差別部落民への同情心が非常に強い人で、一八九〇（明治二三）年の第一回衆議院選挙ではわざわざ被差別部落に本籍地を移して出馬し、維新後「新平民」とされながらも現実的には多くの差別に苦しめられていた被差別部落出身者たちから圧倒的支持を受け当選したこともあります。その一方で大変な尊王家であり、晩年は黒龍会の賛助会員になるなど、国権派的な思想の持ち主でもありました。

池上　中江兆民の代表作のひとつ『三酔人経綸問答』もそれを感じさせますよね。この作品は、日本に完全な民主制を導入し非戦論を貫こうとする理想家「紳士君」の主張に対して、外国の脅威を強調し中国大陸進出を主張する「豪傑君」が反論し、両者を現実主義者の「南海先生」が仲裁する、という体裁で書かれた架空の対話篇ですが、この三人すべてに兆民自身の思想が反映されているという解釈が昔から徳富蘇峰《とくとみそほう》、あるいはフランス文学者の桑原武夫などによってされています。

佐藤　だから未分化な、分節化されていない時代の思想家ではあるんですよね。ただ兆民はフランス留学中にパリ・コミューンの成立を目撃するという、当時の世界の知識人の中でも得難い体験をしています。

池上　一八七〇年七月に突発した普仏戦争（プロイセン・フランス戦争）がフランスの敗北に

23　大杉栄（一八八五〜一九二三）：大正時代の社会運動家、無政府主義者。一九〇七年、日刊「平民新聞」に「欧洲社会党運動の大勢」を発表、直接行動派の立場を明らかにし、幸徳をしのぐアナキズム理解者となる。一九一二年、荒畑寒村と文芸思想誌『近代思想』を創刊、生の拡充と創造を説き、社会的個人主義を確立していく。

終わった直後の一八七一年三月一八日から五月二八日まで、パリに世界初の労働者階級による革命政権（労働者自治政府）が樹立され、官費留学でパリに留学していた兆民はちょうどそこに出くわしたのですよね。

約二ヵ月強という短い期間ではありましたが、この間に革命政府は教育改革や行政の民主化を進め、集会・結社の自由や言論の自由、信教の自由、婦人参政権など様々な人民の権利が認められました。この事件が、ロシア革命など二〇世紀以降の社会主義運動に与えた影響も絶大でした。

佐藤　この体験が、弟子である幸徳秋水らを通じて引き継がれたことは、やはり日本の左翼運動が確立していく上でも非常に大きかったはずです。

もっとも幸徳秋水はこと天皇観について言えば、師である中江兆民と同様、相当に未分化な面がありました。

秋水がまだ「萬朝報」の記者だった一九〇〇（明治三三）年二月一一日、のちの大正天皇である皇太子嘉仁《よしひと》と九条《くじょう》節子《さだこ》（貞明皇后）の成婚が発表されました。このとき秋水は、「立皇太子妃の盛儀を賀し奉る文」「皇太子殿下の大礼を賀し奉る文」を連続して発表し、二人に対する熱烈な祝意を表明しているんです。

一方で同じ時期に山川均とその友人の守田文治がキリスト教社会主義者の立場から、人は愛によってのみ結婚すべきで、愛によらない強制された結婚は「無形の暴力による姦淫」であり「権力に捧げられた人身御供」だと皇室批判と明示せずに当てこすりをし、不敬罪に問われるということがありました。しかし秋水はこの不敬事件に関しても同年五月一八日に「皇室と人民」という論説文を発表し、「吾人は斯る狂暴不敬の文字を作るの心を有する人民が、三人にもせよ四人にもせよ、我同胞の中に存在するを想い来れば、実に痛心の至りに堪えず」と書いており、むしろ山川らを批判しています。

荒畑寒村

池上　なるほど。話を平民社に戻すと、この頃の週刊「平民新聞」の非戦論に感化されて平民社に集まってきた若い社員たちの中に、やがてマルクス主義の思想家・運動家として頭角を現すことになった荒畑寒村《あらはたかんそん》[24]、あるいは後述する「赤旗事件」のきっかけを作った山口孤《やまぐちこ》剣《けん》らがいますね。

この頃の平民社は日露戦争のさなか、赤い荷車に「平民

24　荒畑寒村（一八八七〜一九八一）：社会主義者。幸徳秋水、堺利彦らの反戦・社会主義思想に共鳴して一九〇四年に平民社の活動に参加。一九二〇年社会主義同盟の創立、一九二二年日本共産党の創立に参画したが、一九二七年には福本イズムに反対し第二次共産党への入党を拒否、雑誌『労農』の同人となり、以後労農派マルクス主義の立場で活躍。

新聞」や社会主義関連書を詰め込んで各地を訪問して売り歩く「社会主義伝道行商」を行っており、荒畑や山口もこれに参加し、ある時は警察に尾行されながら、ある時は露探（ロシアのスパイ）呼ばわりされながら本を売り、同時に同志を増やしたそうです。荒畑はこの行商を通じて足尾鉱毒事件の被害者救済運動の指導者である田中正造《たなかしょうぞう》と知り合い、田中から頼まれて足尾鉱毒事件と谷中《やなか》村滅亡の惨状を記録した『谷中村滅亡史』を発表しています。

「平民新聞」によるキリスト教社会主義批判

佐藤　ところで平民社の非戦論を通じて、当初は一心同体のように見えたキリスト教と社会主義の分節化が促された面もありました。

「平民新聞」および平民社に集まってきた者には、石川三四郎など元々はキリスト教社会主義者だったものも少なくありませんでした。しかし先ほど少し触れたように、この石川を含め、平民新聞の記者たちは日本のキリスト教界が戦争賛美に回ったことを痛烈に批判しました。

〈日本の基督《キリスト》教も斯くして日露戦争以後全く帝国主義の賛美者となった、戦争の謳歌者となった、移民政策の主唱者となった、国家的宗教といふ烙印は明らかに其の面上に捺されたのである、是れ基督教の為めに果して賀すべきことであるか。〉

〈成程日本の基督教は、今後は決して国会社会の迫害に逢ふことなく、寧ろ其庇護承認の下に坦々たる大道を行くであろう。〉

〈併し一個の宗教が国家の庇護に依って盛大となるの時は、即ち其の腐敗の兆した時である。〉

〈基督教が既に現時の国家と握手提携し、国家の奴隷利器となる以上は、又其の国家を組織し維持し支配し居る権力階級紳士閥の宗教となるのは当然である。〉

〈故に吾人は躊躇なく断言する、日本の基督教は、少なくとも其大部分若くば主要なる部分は、世界的宗教ではなく国家の奴隷利器となった、平民的宗教ではなく紳士閥の玩弄装飾となった、歴史は繰返すと、欧米の基督教会の現状は。更に日本に再演せらるるに至った。……


　是れ基督教自身の為には賀すべきかも知れない、社会人類の為めに果して賀すべきであろうか。敢て純潔なる基督教徒諸君の一考を促して置く。〉

（石川三四郎「日本の基督教」より）

「平民新聞」の「反宗教」という側面が最終的に行き着いたのが、秋水の最後の作品である『基督抹殺論』でしょうね。

池上　西欧で積み重ねられた科学的な聖書批判をもとに、歴史的存在としてのイエスおよびキリスト教の教義を否定しようとした本ですね。これについてはもう少し後、大逆事件の項目で詳しく話すことにしましょう。

アナキズムの二つの類型

池上　話を「平民新聞」の非戦論に戻すと、政治結社を禁止されたことで、非戦論こそが社会主義者たちが自説を主張できる最後の砦になっていた面もあったのでしょうね。考えてみれば与謝野晶子《よさのあきこ》が日露戦争従軍中の弟を案じて読んだ詩「君死にたまふこと勿れ」が掲載された『明星』も特に処分は受けていないわけで、明治政府としても、非戦論まで弾圧してしまうと近代国家としてさすがに外聞がよくないとの思惑があって敢えて野放しにしていたのかもしれません。

ただ非戦論以外の政府批判や伝統的家族観への批判、あるいは露骨に社会主義を賛美するような主張については比較的容赦がなく、「平民新聞」は一年二ヵ月ほどの発行期間に何度か処分を受けています。

まず第二〇号の社説「嗚呼増税！」。これは「我々が税金を払って国家を組織し政府を設置しているのはなぜか。我々国民の平和と幸福と進歩を保障するためではないのか」と戦時増税を批判したものでしたが、これにより発行人の堺が二ヵ月の軽禁錮刑を受けました。

最終的に政府の逆鱗に触れたのは、一九〇四（明治三七）年一一月一三日発刊の第五三号（創刊一周年記念号）で、マルクス「共産党宣言」の本邦初の日本語訳を掲載したことでした。

最後には印刷所の印刷機械も没収されてしまい廃刊を余儀なくされますが、一九〇五年一月二九日発行の最終号（第六四号）は、マルクスとエンゲルスが編集しプロイセン政府の弾圧により廃刊に追い込まれた「新ライン新聞」の最終号にちなみ、全面を赤刷りにして刊行しています。

佐藤　このことからもわかるように、秋水はこの時期までマルクス主義の影響を非常に強く受けていました。しかし、一九〇五年二月に新聞紙条例違反の罪で禁錮五ヵ月の刑を受けて入獄し、獄中でロシアの地理学者にして無政府主義者であるピョートル・クロポトキンの思想に出会ってからは、プロレタリアートが権力を掌握することで世界変革を目指すマルクス主義的な革命へのこだわりを捨て、権力を奪取することなく世界を変えていくという一種のユートピア思想を掲げるに至りました。

池上　クロポトキンの主著『相互扶助論』は、一九〇二年にロシア語版が出たばかりですから、本当に当時の最先端の思想を吸収していたのですね。秋水が獄中で出会い、傾倒したアナキズムとはどういう思想だったのでしょうか？

佐藤　アナキズムには大きく分けて二つの派があるんです。

それぞれをアナキズムA、アナキズムBとすると、まずアナキズムAは、一九世紀ドイツの哲学者マックス・シュティルナーが唱えたような「個人がすべて」という考え方です。社会だの、道徳だの、宗教だの、この世に存在する自己（自我）以外のすべてのものは究極的には無価値なのであって、なるようになればいいし、いっそ破壊してしまってもよい、そういう極端なほどに自我を世界の中心に置いた思想です。

それに対してクロポトキン、あるいはマルクスの論敵でもあったプルードンに代表されるアナキズムBは、人間はもともと群れをつくる動物なのだから、群れ、すなわち社会を維持していく能力は生来的に備わっている。したがって国家のような人為的な制度をわざわざ作ってそれに依存する必要はないのだ、と考えます。

池上　国家と社会を別のものとして考えるわけですね。

佐藤　そうです。クロポトキンも『相互扶助論』では適者生存を是とする社会ダーウィニズムを否定し、生物の社会と同様に人間の社会も、生存競争ではなく自発的な助け合いによって進化すると主張しました。

だから興味ぶかいことに、戦前はファーブルの『昆虫記』が弾圧の対象になったことがあるんですよ。ファーブルは昆虫の生態を観察し、昆虫の社会では昆虫たちが本能により同種間の競争を避け、相互に助け合って生きていることを明らかにしました。ここにクロポトキン的な相互扶助のモデルと資本主義批判のヒントを見出したのが大杉栄で、大杉は一九二二（大正一一）年に『昆虫記』の全訳刊行に取り組んでいるんです。

池上　面白いですね。

佐藤　なので無政府主義者は自然科学をとても重視するんです。国家などというものは、自然科学的に考えれば非科学的な、人が人を抑圧するためだけにつくられた本来的に不要なものでしかなくなってしまうというわけです。

池上　だからアナキストたちから見ればマルクス主義もダメというわけですね。マルクスも共産主義社会が実現すれば国家権力は徐々に不要となるはずで、最終的に国家などというものは死滅すると考えていましたが、その過渡段階では国家を認めていますからね。

佐藤　そう。アナキストからすれば国家などというものはたとえ過渡的にであろうと不要なんです。なぜならアリだってハチだって、ニシンだってイワシだって、ハダカデバネズミだって、みんな群れを作っているのだし、人間も群れを作って生きていけるのだから、明日いきなり国家がなくなっても心配は要らないというわけです。

無政府主義がマルクス主義よりも「ウケた」理由

池上　明治時代に最新の思想としてのアナキズムを学んだ若い社会主義者たちは、この思想にマルクス主義とはまた別の魅力を感じたのでしょうね。

佐藤　そもそもマルクス主義の場合は段階的な発展論に立ちますから、まだ資本主義が十分に発達していない後進国で革命を目指す場合、とりあえず資本主義を成熟させましょうということになってしまいます。

池上　資本主義を発達させて、資本家を強化させないことには労働者階級は強くならず革命もできませんものね。

佐藤　だから先進国ならばともかく、日本のような後発国の革命的プロレタリアートの場合、自分たちが強くなろうとするならまず敵を強化しなければいけないという隘路に入ってしまう。

池上　そう考えると秋水のような、明治期の才気ある若者からすれば、あまり魅力が感じられなかった可能性はたしかにありますよね。

佐藤　その点アナキズムだと、そんなまどろっこしい段階を踏む必要はありませんし、アナキズムには「直接行動」を重んじるという特徴もあります。これは権力奪取による革命を志向しない以上、議会での多数派獲得による体制転換もありえず、社会のあり方を変えるならば暴力・非暴力のどちらを取るかは別にして直接行動に訴える以外にないからですが、この点も行動力のある若い活動家には魅力的に感じられたはずです。

いずれにしても、「共産党宣言」翻訳などで当時の日本の社会主義者たちの間で最重要人物のひとりと目されていた秋水がマルクス主義からアナキズムに転向した結果、他の多くの社会主義者も、アナキズムをマルクス主義以上に先進的な思想として受け止めました。

幸徳秋水とサンフランシスコ大地震

佐藤　この無政府主義に幸徳秋水は獄中ですっかり傾倒し、一九〇五（明治三八）年に五ヵ月の刑を終えて出獄すると、その年の一一月一四日に渡米し、サンフランシスコに居を構えました。そこでさらにクロポトキンやバクーニンの思想への理解を深めました。

池上　弾圧からの一時的な亡命でもあったのでしょうね。

佐藤　なお幸徳秋水がサンフランシスコ滞在中に現地で起きたのが、一九〇六（明治三九）年四月一八日のサンフランシスコ大地震でした。

市の中心部が三日間火災に見舞われ、約三〇〇〇人が死亡し、二二万五〇〇〇人が家を失う大惨事となったこの大災害を目の当たりにして、幸徳は無政府主義に関する「有益なる実験を得た」と記しています。

〈夫《そ》れは外でもない、去る一八日以来桑港《サンフランシスコ》全市は全く無政府共産制の状態に在る。商業は総て閉止。郵便、鉄道、汽船総て無賃。食料は毎日救助委員より頒与《はんよ》する。食料の運搬や病人負傷者の収容、介抱や、焼跡の片付や、避難所の造営や、総て壮丁（成年男子）が義務的に働く。買うとは云っても商品が無いので金銭は全く無用の物となった。財産私有は全く消滅した。面白いではないか。併し此の思想の天地も向う数週間しか続かないで、また元の資本私有制度に返るのだ。惜しいものだ。〉（一九〇六年四月二四日付、雑誌『光』へ寄せた一文）

池上　偶然出合わせたこの事件も、「なにかきっかけさえあれば人間は国家なしでも立派に社会を成り立たせることができる、アナキズムは可能だ」という確信を秋水に与えたのかもしれませんね。この十数年後、日本で関東大震災が起きたときは秋水はもうこの世にはなく、そこで起きた悲劇を知ることもなかったわけですが……。

幸徳秋水が重要視した「アナルコ・サンディカリズム」

池上　さて幸徳秋水が渡米中の一九〇六（明治三九）年二月には、平民社のもう一人の中心人物であった堺利彦と片山潜らを中心に日本初の合法社会主義政党である「日本社会党」が結成されますね。これはその前の月に第一次内閣を発足させた西園寺《さいおんじ》公望《きんもち》が、かつて中江兆民らとともに「東洋自由新聞」を創刊した経歴をもつことなどから、社会主義運動に対して寛容な対応がなされるかもしれないとの期待があっての結党でした。実際に結党届を提出しても、先の社会民主党のときのように即日禁止などということはなく、その後もしばらく存続して東京市電の値上げ反対運動などを展開しました。

なおこの日本社会党に、のちに労農派マルクス主義の理論的指導者となり、戦後結成される日本社会党の左派でも指導的立場となる山川均《やまかわひとし》らも加わっています。

山川均

佐藤　ただこの党の結党にあたって「国法ノ範囲内ニ於テ社会主義ヲ主張ス」という合法主義を掲げていたことが、幸徳秋水がアメリカから帰国した後に内部の火種になってしまいました。秋水は「労働者階級が欲するところは、政権の略取でなくて衣食住である」とし、真の社会的革命を行うには「団結する労働者の直接行動」としての「総同盟罷業」、つまりゼネスト以外にはありえないという主張を譲らなかったからです。

池上　いわゆる「アナルコ・サンディカリズム」（無政府組合主義）ですね。アナキストである秋水にとっては議会など最初から意味のあるものとは思っていないでしょうし、直接行動としてのゼネストに頼るべきだという結論になるのは当然なのでしょうが、社会党にはマルクス主義でなおかつ議会を重視する考え方の党員もいましたから、まとまるはずがありませんよね。

佐藤　特に党の創設者のひとりで評議員でもあった田添鉄二《たぞえてつじ》などは大反対し、自分たちの運動は「労働者を段階的に覚醒させる」ことであって、そのためには議会活動もストライキも「ふたつながら平民階級の自覚運動」として必要なのだという「議会政策論」を主張しました。

それに対して秋水は演説会や、石川三四郎らと新たに発行した自分の新聞「日刊平民新聞」で直接行動論を主張し続けました。

池上　こうした内部対立を抱えた状態で一九〇七年二月一七日に第二回大会が開催された結果、社会党は「国法ノ範囲内ニ於テ社会主義ヲ主張ス」としていた党則を、「社会主義ノ実行ヲ目的トス」に変更しました。これが政府の虎の尾を踏むことになり、二月二二日に内務大臣が「安寧秩序ニ妨害アリト認ムル」として治安警察法を適用し結社禁止を命令。あえなく解散となってしまいましたね。

このあとは秋水が「社会革命党」を結成したのをはじめ社会主義政党は何度か作られるものの、いずれもすぐに結社禁止になってしまい、社会主義者が政治活動を行うには非合法政党以外の選択肢はなくなってしまいました。

アナキズムと右翼の必然的共鳴

池上　それにしても社会というものは国家があってこそ成立すると誰もが思っていたところにいきなり「国家など不要である」と言われれば、幸徳秋水でなくても、あるいは社会主義者でなくても衝撃を受ける人はいたでしょうね。

佐藤　そうです。だからこの思想は、もう少し年代が下って大正時代になると、権藤成卿《ごんどうせいきょう》[25]や大川周明《おおかわしゅうめい》[26]など右翼の思想家とも共鳴現象を起こしました。

25　権藤成卿（一八六八～一九三七）：農本主義の理論家。一九二〇年自治学会を創立、人民の自然的自治のうえに政治が施行される農本自治主義こそ日本本来の姿であると説いた。著書に『自治民範』など。

池上　アナキズムと右翼がいかに接近しうるかについては、本シリーズの前巻（『漂流 日本左翼史』）でも権藤成卿の「君民共治論」を例に挙げて解説してくれましたね。

佐藤　ええ。権藤は中国から律令制が入ってくる以前の昔、日本は国家ではなく「社稷《しゃしょく》」であったと言うのですね。

社稷とはそれぞれの土地で祀られていた土地の神と五穀の神であり、古代の日本にはそうした社稷が無数に存在していた。日本とは、そうしたたくさんの社稷と社稷を結ぶネットワークのハブに天皇という存在があることで機能する、抑圧なき共同体だった。ところが中国から「律令」などという制度がもたらされたことで官僚制度が生まれ、天皇（君）と民の間には官僚（官）という夾雑物《きょうざつぶつ》が介在するようになった。その結果として君と民の連携が絶たれ、日本本来の姿は失われてしまい、かつてならばありえなかった抑圧も生まれるようになった。したがって今こそ日本はこの国家という姿を脱ぎ捨て、律令制導入以前のネットワーク共同体に戻らなくてはいけないというわけです。

池上　「天皇を国家から外す」という思考操作をすると、右翼と無政府主義がいとも簡単に結びついてしまう。

佐藤　そうです。権藤と同じ時代の右翼思想家である大川周明も、権藤とは若干異なる表現ではありますが似た考え方を示しました。

大川の考えでは、江戸時代までの日本には民衆と天皇の間にやはり夾雑物である大名という存在があり、これらが夾雑物ゆえに悪影響をおよぼしていた。明治の王政復古はこの大名どもを排除したはずだったのだけど、特に日清戦争以降は「黄金大名」が出てきてしまい、この黄金大名によって、民と天皇がまたも切り離されてしまった、というのです。
　だから黄金大名を打倒する昭和維新こそがいま必要であり、それにより世直しはなされるのである、というわけです。

池上　「黄金大名」は三菱・三井などの財閥ですね。こうしてアナキズムが右翼テロにつながり、一九三二（昭和七）年には三井の総帥・団琢磨が血盟団の菱沼五郎《ひしぬまごろう》に暗殺される血盟団事件につながると。

佐藤　そうです。もっともこの血盟団事件で右翼に恐れをなした財閥、特に三井はテロを避けるために、青年将校や右翼に大きな影響力をもつ北一輝に情報料名目でカネを送るようになりました。五・一五事件でも、もともとは三井の池田成彬《いけだしげあき》が襲撃目標に入っていたのが、北が働きかけて目標から外させたという説があります。

26　大川周明（一八八六〜一九五七）：日本ファシズム運動の理論的指導者。一九一八年には満川亀太郎らとともに猶存社を結成。北一輝との意見対立がもとで脱退したが、二四年には行地社を創立して国家改造を目ざした。

池上　なるほど。ところで日本の場合、権藤成卿が実際に行ったように「天皇を国家から外す」という思考操作をすることで、天皇のもとで資本主義にも国家にも反対することが可能になってしまうのは興味深いですが、だとしたら逆にアナキストが天皇を崇め始めるということも往々にして起こってしまうのではないですか？

佐藤　じっさい幸徳秋水や大杉栄より後の、戦時体制が敷かれるようになった昭和初期になると、石川三四郎などを含め生き残ったアナキストたちの大半はそうした天皇崇拝の方向に行ってしまいました。だからアナキストは、戦中も非転向を貫いた日本共産党系のマルキストたちのような勲章を戦後に持てず、影響力を失ってしまうのですね。

池上　「戦時体制にあって天皇と癒着していたじゃないか」と批判の対象になったわけですね。一方で日本共産党は、非転向を貫いて『獄中一八年』の徳田球一《とくだきゅういち》や志賀義雄《しがよしお》が戦後まもなく指導者になりましたから、その点では堂々としていられた。

佐藤　ええ。あと右翼とアナキズムの回路という点でもうひとつ付け加えるなら、アナキズムが直接行動主義を重視する点も、右翼の琴線に触れる要素のひとつです。

前巻『漂流　日本左翼史』でも言及したように、戦後のアナキズム系左翼団体の代表格といえば、三菱重工爆破事件（一九七四）などを実行した東アジア反日武装戦線〈狼〉ですが、新右翼の活動家である鈴木《すずき》邦男《くにお》さんは、『腹腹時計と〈狼〉』（三一書房）という本の中で、彼らに対する限りない共感を表明しています。

　鈴木さんの場合はアイデンティティのひとつに幼少時に家族と信仰していた「生長の家」がありますから、左翼思想としてのアナキズムに加えて宗教とのつながりもありますね。

　アナキズムの直接行動主義への接近は、権藤成卿のような右派の思想家を介して軍部と結び付いたことでテロに繋がり、それが結果的に、アナキズムは恐ろしいものだという当局の宣伝を成功させてしまった面もあります。

社会主義者に打撃を与えた「赤旗事件」

佐藤　もっともそれはもっと、ずっと後の時代の話であって、明治末期にあってのアナキズムは非常に魅力的な、知識人たちを惹き付ける思想でした。
　だからこそこの思想が広がることは当局にとって脅威であり、まず赤旗事件、次に大逆事件でかなり乱暴な手口を駆使して潰そうと企んだわけです。
池上　そういうことになりますね。この二つの事件、まず赤旗事件について解説すると、一九〇八（明治四一）年六月二二日に、堺利彦、大杉栄、山川均、荒畑寒村、荒畑の内縁の妻であった管野《かんの》スガなど、当時の主だった社会主義者一六人が一斉検挙された事件です。

この日は、東京の神田錦町にあった貸しホール「錦輝館《きんきかん》」の二階で、山口孤剣の出獄歓迎会が開かれていました。山口は「日刊平民新聞」の三月二七日号に「父母を蹴れ」という封建的家族制度を批判する社説を掲載し、三ヵ月の禁錮刑を受けていたのですが、その刑期が明けて出獄してきたということで祝いの会が開かれたのです。主催したのは「日刊平民新聞」の同僚であった石川三四郎で、石川は以前、週刊「平民新聞」に掲載した記事「小学教師に告ぐ」などで禁錮刑を受け、山口より少し早く出所していました。

日本社会党の結成後に党員たちの間で、ゼネストなど直接行動を志向する「直接行動派（別名「硬派」）」と、議会を通じた合法的な権力奪取を目指す「議会政策派（軟派）」との間で対立が深まり、これがきっかけで日本社会党が結社禁止に追い込まれたことについてはすでに話しましたが、この頃の社会主義者たちの間には二派の対立による傷跡が残っており、険悪な空気も流れていました。

本書でここまで取り上げてきた社会主義者のうち幸徳秋水、大杉栄、山川均、荒畑寒村らは直接行動派、議会政策派は片山潜、西川光二郎、田添鉄二らです。堺利彦は直接行動も議会政策もどちらも必要という併用論でしたが、秋水の無政府主義、片山らの「修正主義」に対し、自分が「正統主義」と主張しています。

山口孤剣の出獄歓迎会は、そうした対立をひととき脇において各派が集まる久しぶりの機会であったことを、堺利彦が事件から二〇年後に書いた「赤旗事件の回顧」という文章で綴っています。当時の空気感も伝えるこの文章の一部を引用して紹介します。なお、幸徳秋水はこのとき高知県に帰郷しており、会には不参加でした。

〈……神田錦町の錦輝館の二階の広間、正面の舞台には伊藤痴遊君が着席して、明智光秀の本能寺襲撃か何かの講演をやってる。それに聞きほれたり、拍手したり、喝采《かっさい》したり、まぜかえしたり、あるいは身につまされた感激の掛け声を送ったりしている者が、婦人や子供をまじえて五、六十人、それが当時の社会主義運動の常連であった。

この集会は、山口孤剣《やまぐちこけん》（義三）君の出獄歓迎会であった。当時の社会主義運動には「分派」の争いが激しく、憎悪、反感、罵詈《ばり》、嘲笑《ちょうしょう》、批難、攻撃が、ずいぶんきたならしく両派の間に交換されていた。しかし山口君は、その前年皆が大合同で日刊平民新聞をやっていたころから、いくばくも立たないうちに入獄したので、この憎悪、反感の的からはずれていた。そこで彼の出獄を歓迎する集会には、両派の代表者らしい者がほとんどみな出席していた。時は明治四一年六月二二日、わたしは紺がすりのひとえを着ていたことを覚えている。

久しぶり両派の人々がこうした因縁で一堂に会したのだから、自然そこに一脈の和気も生じたわけだが、しかし一面にはやはり、どうしても、対抗の気分、にらみあいの気味があった。けれども会はだいたい面白く無事に終わって、散会が宣告された。皆がそろそろ立ちかけた。するとたちまち一群の青年の間に、赤い、大きな、旗がひるがえされた。彼らはその二つの旗を打ち振りつつ、例の○○歌か何か歌いながら、階段を降りて、玄関の方に出て行った。会衆の一部はそれに続き、一部はあとに残っていた。玄関口の方がだいぶん騒がしいので、わたしも急いで降りてみると、赤旗連中はもう表の通りに出て、そこで何か警察官ともみあいをやっていた。わたしが表に飛び出した時には、一人の巡査がだれかの持っている赤旗を無理やり取りあげようとしていた。……〉

その後の堺の記述や他の資料によると、どうやら散会宣告直後に大杉栄や荒畑寒村を中心とした硬派グループが、「無政府共産」「無政府」などの文字を白テープで縫い付けた赤い旗を翻して革命歌——堺の文章は戦中に書かれたので伏せ字になっていますが——を歌い、「無政府主義万歳」などと叫びながら場外に出たようです。

それを最初から現場で待機していた警官隊が見咎め、「旗を巻け」と叫んで旗を奪おうとしたところ、大杉は「理由なく所有権を取るのは強盗である」と拒否し乱闘に発展。警官と衝突した大杉や荒畑はもちろん、止めに入った堺や山川、さらに管野スガら女性四人も逮捕され、逮捕者は合計一六人（うち二人は即日釈放）となりました。

逮捕者は神田署に連行され、腹を蹴られるなどの拷問を受けたといわれます。

政府では元老の山県有朋《やまがたありとも》が、事件が起きた原因は現政権の社会主義者に寛大すぎる態度にあると第一次西園寺公望内閣の責任に言及し、これにより同内閣は事件発生から一三日後に総辞職に追い込まれました。

後任の首相には山県が後見する桂太郎《かつらたろう》が就任（第二次桂太郎内閣）し、社会主義者の取締り強化を打ち出しました。裁判では逮捕者のうち管野ともう一人は無実が認められたものの、大杉には重禁錮二年六ヵ月と罰金二五円、堺、山川らには重禁錮二年と罰金二〇円、荒畑らには重禁錮一年六ヵ月と罰金一五円という重い刑が科せられました。

大逆事件の衝撃

池上　赤旗事件が起きると、帰郷中だったことで逮捕を免れた幸徳秋水は一九〇九（明治四二）年五月に管野スガと『自由思想』を創刊し、事件を糾弾しようとしました。一方で官憲側も、山県有朋を頂点とする政府からの強いプレッシャーを受け、残る最後の大物である秋水を何としてでも逮捕しようとしていました。
そして『自由思想』を発禁処分にした上で、同年七月一五日に平民社への家宅捜索に踏み切り、スガが肺の病で臥せっていたにもかかわらず引きずるようにして逮捕・連行しました。秋水には当時妻がおり、スガにも荒畑がいましたが、荒畑が獄中にいる間に二人は恋愛関係となり、秋水はスガを平民社に住まわせ同棲していたのです。

スガは罰金刑のみで釈放されましたが、翌一九一〇年三月二二日に平民社は解散し、二人はスガの湯治療養のため神奈川県の湯河原温泉に向かいました。

そして同年六月一日、秋水とスガは「明治天皇暗殺を企んだ」という容疑により湯河原にて逮捕されました。

その少し前の五月二五日には長野県の社会主義者・宮下太吉《みやしたたきち》が、同県東筑摩郡中川手《なかかわて》村明科《あかしな》（現・安曇野《あづみの》市）の明科製材所で爆裂弾を製造して爆破実験を行い、爆発物取締罰則違反容疑で逮捕される「明科事件」が起きていました。

この事件をきっかけに第二次桂太郎内閣下の平田東助《ひらたとうすけ》内相、有松英義《ありまつひでよし》警保局長らの指揮により全国的な捜査、取り調べが進められ、彼らが描いた「宮下ら多数の社会主義者・無政府主義者が幸徳秋水を首領とし、明治天皇暗殺の陰謀を企んだ」というシナリオのもと、全国数百人の社会主義者・無政府主義者が逮捕・検挙されました。

逮捕された数百人のうち、取り調べで計画を認めたのは宮下、新村忠雄《にいむらただお》のほか、福井県出身の古河力作《ふるかわりきさく》、そしてスガの四人だけでしたが、松室致《まつむろいたす》検事総長、平沼騏一郎《ひらぬまきいちろう》大審院次席検事らは秋水を含む二六人についても証拠不在のままで起訴。公判は異例の速さで進められ、翌一九一一年一月一八日に大審院で二四人に死刑判決、二人に対して爆発物取締罰則違反の有期懲役の判決が下されました。

そしてその六日後の二四日午後八時、東京監獄刑場で幸徳秋水が処刑されたのを始まりに三〇～四〇分おきに合計一一人の処刑が行われました。

死刑を宣告された者のうち、半分の一二人に関しては一月一九日に特赦が出され無期懲役刑に減刑されましたが、もともと冤罪であったことを考えればマッチポンプとしか言いようがありません。

これがいわゆる大逆事件です。「大逆」とは皇族に危害を加えることであり、旧刑法における大逆罪は未遂や準備、計画のみでも死刑以外の刑罰がありませんでした。大逆を計画する事件は明治から戦前にかけて四件計画されましたが、ふつう大逆事件というと、この「幸徳事件」を指します。

佐藤　幸徳事件に関する裁判資料は第二次世界大戦後になってようやく公開されたのですが、これらが検討された結果、実際の暗殺計画は、宮下と新村を中心に長野県で準備され、標的も少なくとも計画当初は明治天皇ではなく皇太子（大正天皇）だったことがわかりました。

ジャーナリストの魚住昭さんなども指摘していることですが、幸徳事件における平沼騏一郎らの意識は現在の検察庁特捜部も受け継いでいますね。つまり世の中に危険の種がある場合、その危険がまだ現実化していなくても未然に摘み取っておく使命がある、世直しの機能は検察にあるのだという意識です。

池上　ところで佐藤さんが先ほど少し言及された、『基督抹殺論』はこの事件で逮捕された秋水が獄中で執筆し、彼が処刑された八日後に刊行されたものですね。

〈耶蘇基督とは何者ぞや、是れ世界の歴史と人類の思想とに取て、至重至要の問題の一也、曰く神を父とし、処女を母とし、二千年の前ユダヤの一邑に生る、道を説き病を療すること数年、人間の罪悪を贖はんが為めに十字架に釘けられ、死より蘇へりて天に昇れる者是れと。（中略）

然れども是れ吾人の漫然直ちに信ずべきの事なる乎、之を信するに於て、果して幾何の有力なる理由と證左とを有する乎。〉

という文章で始まる秋水のこのキリスト批判に関しては、キリストの神聖性を剝ぎ取る体裁を借りつつ、実は皇室神話の虚妄性を指摘する意図があったのではないかという説が以前からあります。死刑を宣告され、執行が間近に迫った秋水が人生の最後に戦おうとした相手がキリストというのはたしかに不自然な気もしますし、彼の置かれた状況で発禁を免れながら確実に権力を撃つ言論を世に出そうとするなら、たしかにそのような手段しかなかったかもしれませんが、佐藤さんはどうお考えですか?

佐藤　実際にそうした意図はあったかもしれません。幸徳秋水は荒畑寒村などに言わせれば唯物論者でしたから、天皇の神性や皇室にまつわる神話などは、所詮は明治政府が自らの権威を高めるために利用している道具に過ぎないと考え、打倒すべき対象と位置付けていた可能性も十分にあります。ただ同時に秋水は先ほども述べたように、根っこの部分では尊皇家という一面もあり、神話的存在ではない人間としての天皇に対しては、敬慕の念を最期まで持ち続けていた可能性もあります。だからこそ彼が天皇暗殺を企んだという濡れ衣を着せられ、処刑されたのは悲劇的です。

大逆事件が文学者たちに与えた影響

池上　さて、第二章を終えるにあたり、大逆事件がその後の左翼運動に与えた影響を考えてみましょう。

死刑判決が下される二ヵ月前、一九一〇（明治四三）年一一月二二日には、アメリカの無政府主義者、エマ・ゴールドマンらがニューヨークで抗議集会を開いたほか、イギリスやフランスでも無政府主義者たちが現地の日本大使館前で抗議行動を行いました。

日本国内の文学者たちにも大きな影響を与えました。

大逆事件で一部の被告の弁護を担当した弁護士・平出修《ひらいでしゅう》と歌人仲間だった石川啄木《いしかわたくぼく》は、平出を通じて公判記録を入手して独自に研究し、友人宛の手紙に次のように書きました。

〈あの事件は少くとも二つの事件を一しょにしてあります。宮下太吉を首領とする管野、新村忠雄、古河力作の四人だけは明白に七十三条の罪（大逆罪）に当っていますが、自余の者の企ては、その性質に於て騒擾罪（多数の者が集まって暴行または脅迫を行い、一般の人々の平和な生活を害する罪）であり、然もそれが意志の発動だけで予備行為に入っていないから、まだ犯罪を構成していないのです。そうしてこの両事件の間には何等正確なる連絡の証拠がないのです。〉

一八九四（明治二七）年にフランスで起きた冤罪事件「ドレフュス事件」におけるエミール・ゾラと、大逆事件における自分を比較したのは永井荷風《ながいかふう》でした。ドレフュス事件は、フランス陸軍参謀本部の大尉だったユダヤ人アルフレッド・ドレフュスが反ユダヤ主義者からスパイの濡れ衣を着せられ終身刑に処せられながらも、ゾラをはじめとする文学者たちの支援を受け、最終的に無罪を証明したという事件です。荷風はゾラと比較して何もできない自分を恥じ、「ゾラはドレフュー事件について正義を叫んだ為め国外に亡命したではないか。然しわたしは世の文学者と共に何も言わなかった。私は何となく良心の苦痛に堪えられぬような気がした。わたしは自ら文学者たる事について甚しき羞恥を感じた。以来わたしは自分の芸術の品位を江戸戯作者のなした程度まで引下げるに如くはないと思案した」（『花火』）と記しました。

大逆事件が起きた一九一〇（明治四三）年一二月に森鷗外が書いた短編『食堂』も、社会主義者たちに鷗外が寄せていた意外な心情を想像させる小説です。この作品は、鷗外の分身と思しき役人が職場の食堂で同僚たちと世間話をする中で無政府主義者を話題にするというもので、主人公がクロポトキンやプルードンなど西洋の無政府主義者に関する博識を披露すると、同僚たちは、

「こん度の連中は死刑になりたがっているから、死刑にしない方が好いというものがあるそうだが、どういうものだろう」

「そうさ、死にたがっているそうだから、監獄で旨い物を食わせて、長生をさせて遣るが好《よ》かろう」

「これまで死刑になった奴《やつ》は、献身者だというので、ひどく崇《あが》められているというじゃないか」などの会話が続きます。
これを帝国陸軍医務局長という公職にあり、山県有朋とも面識があった鷗外が、秋水らを助けたいと考えて行ったギリギリの擁護と見ることもできるかもしれません。

大逆事件を生き残った社会主義者たち

池上 大逆事件を生き残った社会主義者たちのその後についても、簡単に触れておきましょう。片山潜に関しては赤旗事件にも幸徳事件にも連座しませんでしたが、一九一一（明治四四）年に東京市電のストライキを指導したとして逮捕され、一九一二（大正元）年九月、大正天皇即位の大赦で出獄しました。そして弾圧が強まる国内での活動は困難と見て、一九一四（大正三）年にアメリカに亡命しています。

佐藤 大杉栄や堺利彦や山川均、荒畑寒村など、赤旗事件で逮捕され禁錮刑を受けていた面々は、幸徳秋水の処刑後に出獄しました。彼らはおそらく獄中にいなければ幸徳事件に連座して処刑されていた可能性が高かったはずですが、皮肉なことに先に逮捕されていたおかげで命拾いし、山川均などは戦後の社会主義運動を指導することができました。
とはいえ、大逆事件は異議申し立て運動にきわめて大きな断絶を生みました。大逆事件で幸徳秋水らが「明治天皇暗殺計画」の濡れ衣を着せられ殺されたことで、ここから先は天皇を前提としない、天皇を否認する世直し運動は命がけでしかできないことが誰の目にもはっきりしたからです。

池上　そうですね。この後に盛り上がりを見せる大正デモクラシーにしても、その基本理念となった吉野《よしの》作造《さくぞう》の「民本主義」は、天皇主権の大日本帝国憲法下にあって「デモクラシー」を実現するためにひねり出された相当にアクロバティックな理念でした。

同じデモクラシーの訳語でも、主権在民が原則である民主主義に対して、民本主義は天皇の主権を否定しませんでした。一方で主権の所在とは関係なく、政治の目的は民衆の福利にあるのだから政策の決定も民意に従ってなされるべきだと主張し、これが普通選挙実現の運動や女性運動、労働運動にも影響を与えたわけですが、山川均などから見ればこの考え方は微温的に見えて仕方なかったでしょう。

ただマルクス主義の内部でも、しだいに講座派と労農派の対立なども起きてくるわけですが、労農派に関しては天皇を直接的な打倒対象とはみなしませんでした。

佐藤　労農派が無意識に天皇との対決を避けていたのは否定できないですね。ただこの場合の「避けた」には二重の意味があったと思います。一つは対決することのリスクが高すぎて恐れた、という意味ですが、もう一点、天皇制打倒を正面から掲げた世直し運動には民衆がついてこないことがあらかじめわかっていた面もあったと思います。

じっさい天皇制打倒を正面に掲げた日本共産党の運動は、戦前においてサークル的な枠を超えられませんでした。

池上　となると結局、同じ世直し運動でも、右翼や宗教など天皇の存在を最初から前提とした方向に自然と支持が集まることになりますね。

佐藤　はい。しかし逆にこれは天皇という錦の御旗さえ掲げておけば、意外と自由にものが言えるということでもあり、それゆえにいわゆる錦旗革命、右派たちによる、天皇を戴いた上からの革命運動は盛んになりました。

廣松渉《ひろまつわたる》が『〈近代の超克〉論』（講談社学術文庫）でも言っているように、戦前において革命はタブーではなかったし、社会主義も決してタブーではなかった。ただ天皇制の否定だけがタブーでした。

そもそも先ほど示したように、「天皇への反逆」という濡れ衣を着せられ殺された幸徳秋水にしても、本人はむしろ熱烈な尊王主義者の面さえありました。その意味では明治期を通じて、日本の反体制運動が天皇制と正面から闘うということはまだ非常に稀でした。

天皇制との真正面からの対決が始まるのは、やはり次の第三章から登場するコミンテルン日本支部、つまり日本共産党の誕生から、ということになると思います。

第三章
ロシア革命と「アナ・ボル論争」

ロシア革命をどのように評価するか。
知識人たちの侃々諤々の論争が残したものとは。

《第三章に関する年表》

一九一六年	日蔭茶屋事件（大杉栄が刺される）。
一九一七年	ロシアでソビエト政権成立（十月革命）。
一九一八年	富山県で米騒動が勃発、全国に波及する。
一九一九年	東京で普通選挙期成大会開催、各地に普通選挙運動広まる。
一九二〇年	日本社会主義同盟（山川均、堺利彦）。
一九二一年	第一次大本事件（大本弾圧）。「日本共産党準備会」（「コミンテルン日本支部準備会」）が秘密裡に発足。
一九二三年	関東大震災の発生。甘粕事件（大杉栄と伊藤野枝殺害）。亀戸事件。朴烈事件。虎ノ門事件。

「冬の時代」の主義者たち

池上　明治が終わろうとしていた一九一一（明治四四）年、大逆事件により幸徳秋水をはじめとする多数の社会主義者が殺害されたことで、社会主義者たちは派手な活動を自粛せざるを得なくなってしまい、ここから数年のあいだ、日本の社会主義は勢いを失いました。

この社会主義「冬の時代」を、主義者たちは言論・出版活動に軸足を移すことで乗り切ろうとしました。中でも「赤旗事件」での約二年の禁錮刑を終えて出獄した堺利彦は、一九一〇年一二月、翻訳や広告の宣伝文のほか、手紙や祝辞、借金の依頼文や学生の卒業論文などありとあらゆる文章の代筆を請け負う「売文社」という会社を立ち上げ、自分と仲間たちの生活費を稼ごうとしました。

佐藤　現代でいえば編集プロダクションのような会社ですよね。ここに大杉栄や山川均、荒畑寒村らも入社し、一九一五（大正四）年には社会主義を啓蒙する雑誌『新社会』も創刊しました。

中でも圧倒的なドイツ語力で売文社を支えたのが高畠素之《たかばたけもとゆき》[27]です。

27　高畠素之（一八八六〜一九二八）：大正期の国家社会主義者。『資本論』の日本最初の完訳者。一九一九年四月に『国家社会主義』を創刊、『資本論』の翻訳にも着手する。搾取機能を否認して支配統制機能を是認する独特の国家観を『大衆運動』『局外』『週刊日本』『急進』などで展開した。

高畠素之

高畠はエンゲルスの死後誰よりもマルクスの理論に精通していると言われていたオーストリア帝国（現在はチェコ領）出身の政治哲学者カール・カウツキーの『資本論解説』を翻訳し『新社会』に連載しました。その後は国家社会主義に傾倒し、堺らと対立して売文社も退社してしまうのですが、退社後の一九一九年から一九二五年にかけて、『資本論』の本邦初の全訳を成し遂げることになります。

池上　大杉栄に関しては売文社での仕事のほか、一九一二（大正元）年一〇月に文芸思想誌『近代思想』を荒畑寒村と創刊。さらに月刊「平民新聞」も新たに創刊して言論活動を展開しようとしました。しかしこれらは発刊のたびに発禁処分を受け、一時は家賃の支払いに窮するほどになってしまいました。

この頃の大杉は、彼の「自由恋愛」思想とその実践面のほうがよく知られているかもしれませんね。大杉にはもともと内縁の妻・堀保子《ほりやすこ》がいましたが、それとは別に「東京日日新聞」の記者・神近市子《かみちかいちこ》、さらに日本における女性解放運動の草分けである月刊誌『青鞜』の二代目編集長・伊藤野枝《いとうのえ》とも交際しており、当時は主に神近から経済的援助を受けていた反面、野枝との関係が急速に深まっていました。

そして一九一六（大正五）年九月一六日、神奈川県葉山村（現・葉山町）の旅館「日蔭茶屋」で野枝と密会していた大杉は、四角関係に苦しんでいた神近に短刀で首を刺され瀕死の重傷を負いました。この「日蔭茶屋事件」が世間でも大々的に報じられて以来、大杉と野枝は社会主義の仲間たちからも顰蹙を買い、しばらく孤立してしまいました。

佐藤　伊藤野枝が大杉と家庭をもつ前に結婚していた辻潤《つじじゅん》は今ではあまり顧みられることのない文学者ですが、実はマックス・シュティルナー（第二章参照）の『唯一者とその所有』を日本で最初に翻訳した人物です。

池上　アナキズムはアナキズムでも、幸徳秋水や大杉栄のように国家と社会を切り分けて考えた上で社会改良を目指すのとは違い、あらゆるものごとの中心に自我を置いて国家にも社会にも関心を払わないというタイプの無政府主義。その代表的思想家がシュティルナーでしたね。

伊藤野枝

佐藤　そうです。野枝が辻を捨てた直接のきっかけも、辻の社会に対する極端なまでの無関心にあったと言われています。

辻の後年の随筆などを読むと、ある日夫婦の家に渡辺政《わたなべまさ》太郎《たろう》――この人は大杉型の無政府主義者ですが――が訪ねてきて、谷中村の鉱毒問題の酷さについて切々と話す、ということがあったらしく、野枝はその時まで足尾鉱毒事件についてほとんど何も知らなかったのに渡辺の話を聞いてひどく憤慨したそうです。しかし自分の子供さえまともに育てられない野枝が社会問題に怒りを示す様子が辻にはおかしなものに感じられ、野枝は野枝で冷笑的な態度に終始する辻に幻滅して大杉のもとに走った、ということが書かれています。

〈野枝さんが大杉君のところへ走った理由の一つとして、僕が社会運動に対する熱情のないことにあきたらず、エゴイストで冷淡だなどとなにかに書いたこともあったようだ。渡良瀬川の鉱毒地に対する村民の執着——みすみす餓死を待ってその地に踏みとどまろうとする決心、——それをある時渡辺君がきて悲愴な調子で話したことがあったが、それを聴いていた野枝さんが恐ろしくそれに感激したことがあった。僕はその時の野枝さんの態度が少しおかしかったので後で彼女を嗤ったのだが、それがいたく野枝さんの御機嫌を損じて、つまり彼女の自尊心を多大に傷つけたことになった。僕は渡辺君を尊敬していたから渡辺君がそれを話す時にはひそかな敬意を払って聴いていたが、また実際、渡辺君の話には実感と誠意が充分に籠っていたからとても嗤うどころの話ではないが、それに対して何の知識もなく、自分の子供の世話さえ満足に出来ない女が、同じような態度で興奮したことが僕をおかしがらせたのであった。しかし渡辺君のこの時のシンシャアな話し振りが彼女を心の底から動かしたのかも知れない。そうだとすれば、僕は人間の心の底に宿っているヒュウマニティの精神を嗤ったことになるので、如何にも自分のエゴイストであり、浅薄でもあることを恥じ入る次第である。

その時の僕は社会問題どころではなかった。自分の始末さえ出来ず、自分の不心得から、母親や、子供や妹やその他の人々に心配をかけたり、迷惑をさせたりして暮らしていたのだが、かたわら僕の人生に対するハッキリしたポーズが出来かけていたのであった。自分の問題として、人類の問題として社会を考えて、その改革や改善のために尽すことの出来る人はまったく偉大で、エライ人だ。〉（『ふれもすく』より）

池上　たしか辻は上野女学校の英語教師をしていた時に先生と生徒という関係で野枝と出会っており、許嫁もいた野枝と駆け落ち同然で結婚したがために学校を退職させられているのですよね。辻の回想を読むと、人類や社会に関する何もかもを自分という存在の蚊帳の外に置いてしまう彼の思想は、野枝との結婚生活を通じて形成された面もあったようにも読めます。

佐藤　野枝に逃げられた後の辻潤は、社会にかかわる意欲を完全に失い、尺八を吹くことと詩を書くこと以外はほとんど何もせず、生活の糧は物乞いをして得る放浪生活を送りました。戦争末期の一九四四年にようやく放浪から戻ってアパートでのひとり暮らしを始めたものの、その数ヵ月後に餓死しているのが発見されました。

池上　壮絶な死に方ではありますが、究極の個人主義を実践し、自分の思想に殉じたということになるのでしょうか。

佐藤　これはこれですごい思想闘争だと思いますよ。あの侵略戦争の時代に戦争礼賛もせず、かといって反戦運動にも走るわけでもなく、世の中から完全に降りて、「国家や社会がどうなろうと知ったことではない」とひたすら尺八だけ吹いて暮らしたというのは。そうして世の中と縁を切った結果自分の身に起こることも半ば受け入れていたわけですからね。

労働運動の盛り上がり

池上　さて、日本の社会主義者たちがいつ終わるとも知れない「冬の時代」を送るなか、海の向こうのヨーロッパで一九一四（大正三）年七月、第一次世界大戦が勃発しました。すると翌一九一五年から日本も大戦景気に沸くようになり、国内では鉱山、製鉄所、造船所などが急拡大する需要に対応しようと設備投資を行い、労働力の確保に躍起となりました。これにより農村から都市部への人口流出が促進され、国内には労働者階級が急激に増えていきました。
日清戦争、日露戦争と戦争が起きるたびに発展を繰り返してきた日本の資本主義はここに来てついに完成に近づき、結果として労働運動も一九一七年頃から飛躍的に発展を始めることになりました。

佐藤 開戦の数年前には、現在の連合（日本労働組合総連合会）の母体となる「友愛会」も結成されていましたね。

池上 そうですね。東京朝日新聞記者時代に貧困問題を取材し、一九一一年からは安部磯雄会長のユニテリアン系団体「統一基督教弘道会」の幹事として労働問題にも携わっていたクリスチャンの鈴木《すずき》文治《ぶんじ》が、一九一二年八月に、一四名の仲間たちと労働者の地位向上を目指す団体として「友愛会」を結成していました。
もっともこの団体は、設立当初は大逆事件の記憶がまだ新しく、財界との対決姿勢を打ち出せば政府からの弾圧も懸念されたことから、渋沢栄一《しぶさわえいいち》など財界人の後援も取り付け、労働組合ではなく労働者の共済団体兼研究団体であるという体裁を整えた上での発足でした。しかし大戦景気に伴い労働争議が頻発するようになると自然とこれらにもかかわるようになり、一九一九年には大日本労働総同盟友愛会と改称して労働組合化しました。

先に述べたように、戦前は労働組合のストライキは治安警察法により取締りの対象とされていましたが、このころになると正当な理由のあるストに関しては司法省も黙認せざるをえないほどに労働者の力が強まっていました。一九一五年まで年間五〇件前後しかなかったストライキの件数は一九一七年には三九八件、参加人数も五万七三〇九人に達し、翌年以降もストは増えていきました。

ロシア革命と米騒動

池上　そして一九一七（大正六）年一〇月、ロシアでウラジーミル・レーニンとレフ・トロツキーに率いられた労働者や兵士らの勢力「ボリシェヴィキ」が武装蜂起に成功し、先の二月革命で帝政を打倒していた臨時政府を転覆させる「ロシア十月革命」が起きました。この世界的大事件は、当然ながら日本の社会主義者たちにも大きな衝撃を与え、基本的には彼らを勇気づけました。

佐藤　戦後はソ連への強い批判を行うようになる山川均も、この時はただ熱烈に感激していました。『山川均自伝』では、「その当時の社会主義的な思想を持っていた者で、影響を受けなかった人はいない」「僕等自身もこの非常に鼓舞されて影響されたもののひとりだ」「私は、そのころ荒畑君とやっていた労働組合研究会でロシア革命の話をしたのですが、どうも涙が出て話ができなかったことがあります。それほど感激を与えたですね」など記しています。

池上　一方でアメリカ、イギリス、フランス、そして日本など各国の政府は、ロシア革命が国外に波及することを恐れ、ロシア国内で革命軍（赤軍）に抵抗していた反革命軍（白軍）を支援して革命に介入しようとシベリアへの出兵を決定。寺内正毅《てらうちまさたけ》内閣が一九一八年八月二日に出兵を宣言すると、流通業者や投機筋が戦争特需を見越し、一斉にコメの買い占めに走りました。

すでに第一次世界大戦開戦以来の工業化で農村人口が減ったことでコメ価格は高騰傾向にありました。買い占めによりコメの供給不足にさらに拍車がかかった結果、一般国民の生活は大きな打撃を受け、同年七月にはコメの積み出し作業が行われていた富山県魚津《うおづ》町（現・魚津市）の倉庫に数十人の主婦が集まり、積み出し中止と一般住民への販売を求める直接抗議行動を行いました。ここから同様の抗議行動が一道三府四〇県で行われる全国的な「米騒動」に発展し、寺内内閣を総辞職に追い込むほどの騒ぎとなりました。

九月二四日には、大隈重信が次のような趣旨の上奏を行ったといわれます。

〈国民は今極めて危険なる発達の道程にあり、而して民衆の心理に一大変化を生じつつあり、国民はもはや権力の圧迫に服従するものにあらず、民衆はその権利を要求しつつあり、これ実に世界の大勢にして、ひとり日本のみ例外たる能わざるところなり。〉

佐藤　このうち大阪・釜ヶ崎《かまさき》で起きた米騒動は六〇万人が参加して米問屋を襲撃してコメを略奪し、交番を打ち壊し、市電を止めて戒厳令が布かれるほどの騒ぎとなりましたが、これに大杉栄が遭遇していました。

大杉を危険視し、その動向を常に監視していた内務省警保局の資料には、この時に大杉が仲間たちに話したとされる内容が記録されています。

〈自分は今回の暴動事件を目撃して、社会状態はますます吾人の理想に近づきつつあると信ず。しかし今日の勢いをもって進めば、後幾年を経ずして意外の好結果を来たらすかも計り難し。政府も今度ばかりは少々目を醒ましたるらん。貧者の叫び、労働者の狂い、団結の力、民衆の声、嗚呼愉快なり。〉（「大杉栄の経歴及言動調査報告書」より）

池上　アメリカに亡命中だった片山潜も、こうした日本国内の状況を見て日本でも革命を遂行する好機と考え、一九一八年にニューヨークの自宅に集まってくる仲間たちと「在米日本人社会主義者団」を結成しました。そして翌一九一九年五月、この会の結成メンバーの一人であった近藤栄蔵《こんどうえいぞう》[28]が日本に帰国。近藤は帰国後すぐに日本の社会主義者のリーダーである堺利彦を訪問し、その数日後には堺の紹介で山川とも会っています。

そしてこれらの動きと同期して、戦前の学生運動も花開いていきました。

まず一九一八（大正七）年一二月に東京大学で、同大学の吉野作造教授（一三五頁参照）の指導を受けながら「普通選挙研究会」を運営していた赤松克麿《あかまつかつまろ》[29]、宮崎龍介《みやざきりゅうすけ》[30]らが、「吾徒は世界の文化的大勢たる人類解放の新気運に協調し之が促進に努む」「吾徒は現代日本の合理的改造運動に従ふ」という綱領を掲げる「東大新人会」を結成しました。

さらに新人会は、「木曜会」という別の学生団体を併合し規模を拡大しました。木曜会の代表だった麻生久《あそうひさし》[31]は、この翌年に友愛会に入り、友愛会を戦闘的な方向へと転換させ

28　近藤栄蔵（一八八三～一九六五）：社会運動家。一九二二年に日本共産党創立に参加。二三年第一次共産党事件の直前にソ連に亡命、帰国ののち、国家社会主義に転向。三二年には下中弥三郎らと新日本国民同盟を結成した。

29　赤松克麿（一八九四～一九五五）：社会運動家。東洋経済新報記者などを経て日本労働総同盟の指導者となり、その左翼化を推進した。一九二二年日本共産党創立に参加するが、一九二三年の第一次共産党事件以降、熱心に解党を唱え、以前と逆に総同盟の「現実主義」化を推進、その第一次分裂にあたっては右派の中心的指導者となった。

30　宮崎龍介（一八九二～一九七一）：国家社会主義運動家。東京帝国大学法学部在学中、赤松克麿らと新人会を結成。一九三三年には無産運動から退き民族主義運動に走る。

佐野学

ることになる張本人でもあります。

佐藤　木曜会には佐野学《さのまなぶ》[32]や野坂参三《のさかさんぞう》なども参加していました。このあとの第四章でまた出てくるはずの名前なので読者には覚えておいてほしいですね。

とりあえず宮崎龍介について一言だけ触れておくと、孫文の同志となって中国辛亥革命を支援したアジア主義の革命家・宮崎滔天《みやざきとうてん》の息子であり、さらにこの数年後、「九州の炭鉱王」伊藤伝右衛門《いとうでんえもん》の夫人だった歌人の柳原白蓮《やなぎわらびゃくれん》と駆け落ち結婚する「白蓮事件」でも有名になります。

池上　早稲田大学でも一九二〇（大正九）年五月、早大生・高津正道《たかつまさみち》が「社会運動の研究と普及・啓蒙、争議の応援、闘士の養成」を目的とする学生団体「暁民会《ぎょうみんかい》」を結成しました。

こうして「冬の時代」は終わり、社会主義者たちは再び活発に動き始めました。

「日本社会主義同盟」結成とアナ・ボル論争

池上　ただ、そうはいっても堺や山川の頭の中には、多数の同志たちを暗黒裁判で殺された大逆事件の記憶がまだ強烈に残っていましたから、活動は慎重に進めざるを得ませんでした。

一九二〇（大正九）年一〇月には、ロシアで始まった社会主義革命を極東へと広げようとしていたコミンテルンから二人のもとに「密使」が送られ、極東における社会主義者の国際組織「極東社会主義者同盟」を組織するために堺もしくは山川に上海まで来てほしいとの要請がありました。しかし官憲の目を盗んで上海まで行くのはあまりにリスクが高すぎると、二人はこの求めを断りました。

ここで「じゃあ俺が」と名乗り出たのが大杉でした。密かに上海に上陸し、コミンテルン極東社会主義者会議に出席した大杉は「極東社会主義者同盟」の設立に賛成はしませんでしたが、通信連絡委員会をつくることには同意しました。

コミンテルンの誘いを断った堺と山川がこの頃に最優先していたのは、まず国内の社会主義者が大同団結することでした。

31 麻生久（一八九一〜一九四〇）：大正〜昭和時代の社会運動家、政治家。東京帝国大学法学部卒業後、新聞記者となり、黎明会を組織。その後友愛会に入り、日立鉱山、夕張鉱山、足尾銅山などで労働運動を指導し、一九二〇年全日本鉱夫総連合会を組織した。
32 佐野学（一八九二〜一九五三）：社会運動家、歴史学者。一九二二年に日本共産党に入党、中央委員となった。一九三三年に鍋山貞親と連名で転向を声明、コミンテルンと日本共産党を排撃し、天皇制下での「一国社会主義」を唱えた。

先の第二章では、日本で初めての合法社会主義政党として結成された日本社会党が、アナキストとマルキストの路線対立の末に解散してしまった過程を見てきましたが、アナキストたちはこの頃も労働者の直接行動、つまり労働組合を中心としたゼネラル・ストライキで革命を実現すべきであり、革命後も政党の指導は排除して、労働組合中心に生産と分配を行うべきだとするアナルコ・サンディカリズム（無政府組合主義）を主張していました。

それに対してマルクス主義者たちは、ロシア革命を成功させたレーニンに倣い、日本でもボリシェヴィキのような中央集権型前衛政党を結成し、この党を中心に革命を進めるべきだと考えるようになっていました。

こうした「アナ・ボル論争」が燻っていた状況を堺と山川は憂慮し、ロシアで革命が実現した今こそ日本の社会主義者たちはそれぞれの考え方の違いを乗り越えて団結すべきだと考え、一九二〇年八月頃から、大杉をはじめとする無政府主義者のグループのほか、友愛会やその傘下の産業別労働組合、さらに新人会や暁民会などの学生団体などに結集の呼びかけを行いました。これに呼びかけられた側の多くも同意し、一二月に「日本社会主義同盟」が結成されました。創立大会への申込者は一〇〇〇人を超えたと言われています。

ただロシア革命から時間が経つにつれてアナ・ボル論争はしだいに激化し、大同団結の場になるはずだった日本社会主義同盟にしても、社会主義者どうしの対立の場になってしまいました。

佐藤　社会主義同盟そのものの活動も結局長続きしませんでした。この同盟は政府の解散命令を警戒し、表向きは「準備会」の名前で活動していたのですが、一九二一年五月、第二回大会を開いたところで治安警察法を根拠に解散させられています。

ボリシェヴィキの無政府主義者弾圧を批判した大杉栄

池上「アナ・ボル論争」ではロシア革命だけでなく、一九二二（大正一一）年一二月三〇日に樹立されたソビエト連邦の評価をめぐっても対立がありましたが、大杉らアナキストたちにしても最初からソ連やロシア革命を批判していたわけではないのですよね。

佐藤　そうですね。山川均が言っていた、「その当時の社会主義的な思想を持っていた者で、影響を受けなかった人はいない」という言葉の「社会主義的な思想を持っていた者」には当然大杉らアナキストも含まれるはずですし、大杉が堺、山川の代わりにコミンテルンの招きに応じて上海まで行ったのも、社会主義同盟に加わってボル派との共同戦線を張ろうとしたのも、大杉自身がロシア革命の行方に、少なくとも当初は期待を抱いていたからだと思われます。

しかし大杉は、ボリシェヴィキが権力掌握後、ロシア国内の農民や無政府主義者たちを弾圧していると知り、考えを改めました。一九二二年には『労働運動』（第二次）誌上でロシアのこうした現状について初めて言及し、このあたりからアナ派とボル派との対立は激化していきました。

けっきょく近藤と立ち上げた『労働運動』は二二年六月の一三号で廃刊し、一二月にアナキストだけで第三次『労働運動』を復刊させます。

この間の大杉の心境の変化は、『労働運動』の読者から「なぜあなたはマルキストを批判するのか。大同団結すべきではないのか」と尋ねられる形で執筆した、「何故進行中の革命を擁護しないのか」という文章に記されています。

以下に引用する「（1）「大杉栄氏に問う」」が読者（ペンネーム「生死生」）からの質問で、「（2）生死生に答える」が大杉自身の回答です。

（1）大杉栄氏に問う（生死生）

〈世界の全無産階級が目指す最後の目標は何かといえば、もちろん、全人類相愛の徳治社会、すなわち無政府共産社会であることを僕は確信します。しかるにこれが実現運動の実際方面について見るに、そこに多くの遺憾を僕は見る、見ざるを得ないのです。

それは何か？　要するに僕のいわんと欲することは協同目的のもとに立っている人々

が、何故協同の戦線に立とうとしないか？　ということである。といえば、あるいはお前は余りに若い、理論の立脚点を知らぬ、と笑われるかも知れぬ。僕はその嘲笑を甘受しつつその著《いちじる》しい例を、マルキストとアナーキストとに見る。

（中略）

僕は何故アナーキストとマルキストとは昔も今も相排擠《はいせい》（註：他を押し退けたり陥れたりすること）せねばならぬかを理解出来ぬのです。〉

（2）生死生に答える

〈生死生の僕に対する批難は、それを具体的にいえば、要するに、何故僕がロシアのボルシェヴィキ政府を攻撃するのか、という事にあるらしい。

そして、それについての生死生の議論の根拠は、一つは無政府主義の社会へ行くにはボルシェヴィズムを通過しなければならないという事と、もう一つは協同の敵に対しては協同して当らなければならないという事とから無産階級の手に始めて移されたロシアの政権を支持することこそ、よかれ悪《あ》しかれ協同目的を有するものの現在の任務であり当然の義務であると考えられたものらしい。

一足飛びに天国へ行けるかどうかは僕も疑う。しかし無政府主義へ行くにはまず社会主義を通過しなければならぬとか、ボルシェヴィズムを通過しなければならぬとかいう事は、僕は無政府主義の敵が考えだした詭弁《きべん》だと思っている。

ロシア革命の最初の頃には、レニンを始めボルシェヴィキどもはよくそんな事をいった。日本でも共産主義の最初の宣伝時代にはよくそんな事を聞いた。が、ひと通りその効果を見たあとでの、彼らの無政府主義者に対する態度はどうか。彼らはまるで資本家の次はこんどは無政府主義者だというような具合じゃないか。

「全生産力の不十分な現在から、一足飛びに」などというもっともらしいような経済論も、僕はちょっとも信用しない。が、そんな議論は、こんな雑誌の一頁や二頁で尽きる事ではない。詳しい事はいずれまた論ずるとして、とにかく僕は無政府主義の即時実現を信ずるものであるという事だけを明らかにしておく。

次には、協同の敵には協同して当らなければならないという事だ。これには、一応僕は賛成する。協同の敵、即ち一言にして資本家制度と闘う時には僕は労資協調論者から個人主義的無政府主義者に至るあらゆるものとの協同をあえて辞さない。ただ僕がその間に保留しておきたいは僕の批評の自由である、互いに協定した戦線の内外における、僕の行動の自由である。それが許されさえすれば、僕はどんないやな奴とでも、協同の戦線に立つ事位は我慢する。

（略）

しかし、僕は今ここで僕の愚痴を述べたくはない。ただ、最初僕は誤まってボルシェヴィキとの協同の可能を信じて、それを主張しそれを実行して、そして見事に彼らから背負投げを食わされたという僕の愚を明らかにして、後に来る人たちの戒めにしておけばいいのだ。

僕は今、日本のボルシェヴィキの連中を、たとえば山川にしろ、堺にしろ、伊井敬（註：近藤栄蔵の筆名）にしろ、荒畑にしろ、皆ゴマのハイ（註：護摩の灰）のような奴らだと心得ている。ゴマのハイなどとの協同は真平御免《まっぴらごめん》こうむる。が、ここにまだ附け加えていっておきたいのは、奴らが本当に資本家階級と闘う時には、僕だってやはり、奴らと同じ戦線の上に立って、協同の敵と戦う事を辞するものでない事だ。

ボルシェヴィキ政府に対する批評！　僕はそれを随分長い間遠慮していた。僕ばかりではない。世界の無政府主義者の大半はそうだった。また、革命の最初には自ら進んで共産主義者らと協同の戦線に立ったものも決して少なくはなかった。ロシアの無政府主義者らはほとんど皆そうだったといってよかろう。

ロシア以外の国での無政府主義者は、一つには、ロシアの真相がよく分らなかった。そしてもう一つには、実際反革命がいやだった。そして彼らは十分な同情を以てロシア革命の進行を見ていたのだ。

が、真相はだんだんに知れて来た。労農政府すなわち労働者と農民との政府それ自身が、革命の進行を妨げる最も有力な反革命的要素である事すらが分った。この事実は、本誌で毎号書いて行く。

ロシアの革命は誰でも助ける。が、そんなボルシェヴィキ政府を誰が助けるもんか。〉

池上 大杉はロシア革命勃発後しばらくの間はボルシェヴィキに「遠慮」し、反革命の立場にはなるまいと批判を控えていたとのことですが、最終的に大杉を失望させた、ボルシェヴィキ自身の反革命行為、無政府主義者への弾圧とはどのようなものだったのでしょうか？

佐藤 ひとつは、第一次世界大戦中から深刻化していたロシアの食料不足が十月革命後さらに悪化し、ボリシェヴィキが一九一八（大正七）年五月一三日に「食料独裁令」を発したことです。これは農民から余剰穀物を徴発することが目的でしたが、結局は農民の生活に必要な分まで徴収することになりました。
農民にとってはあまりに過酷なこの政策に反発したのが、十月革命においてウクライナの農民をパルチザン軍（ウクライナ革命反乱軍）にまとめ上げて農民アナキズム運動を展開

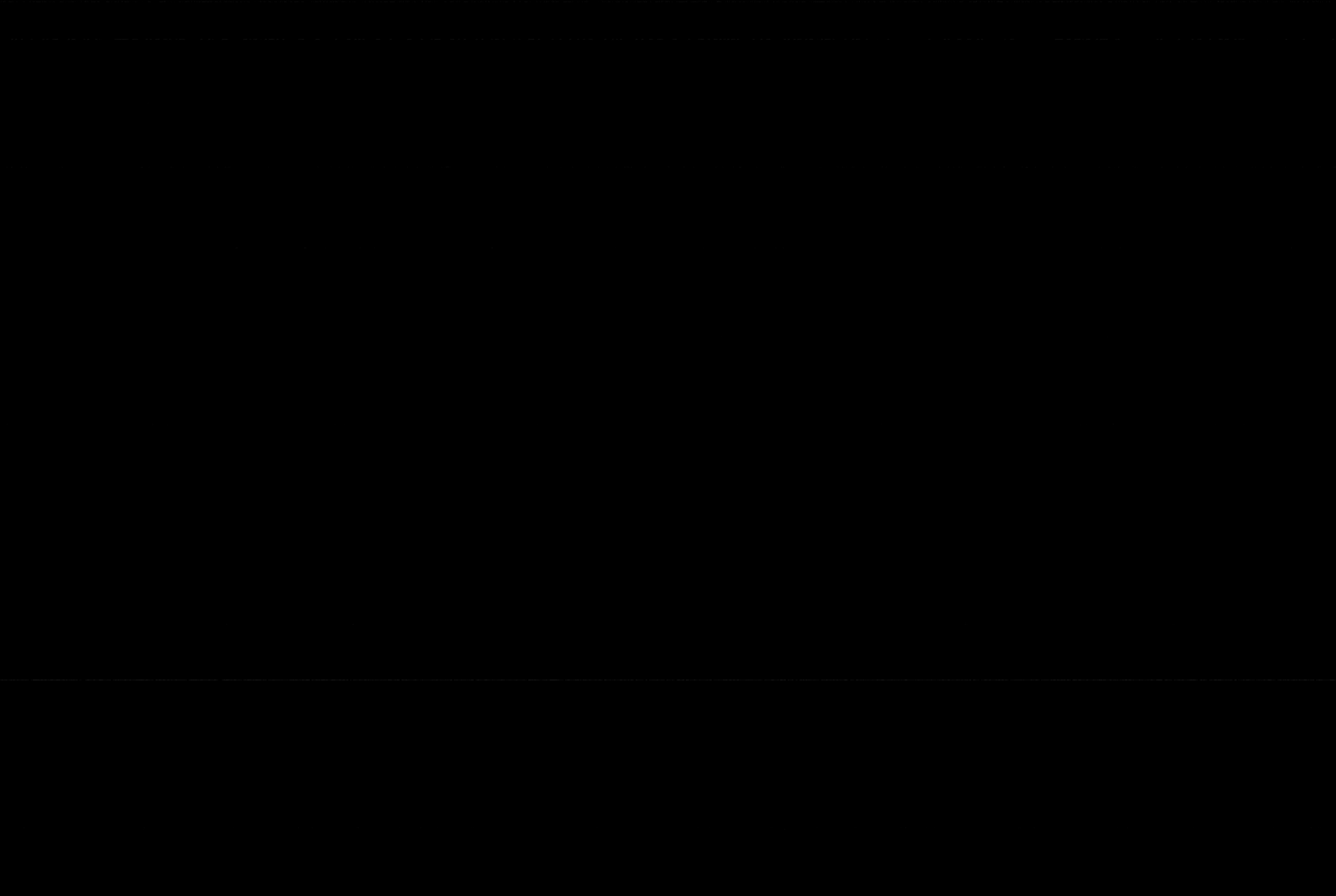

し、革命が成功する上で大きな貢献をしていたウクライナの無政府主義者ネストル・マフノでした。

マフノとボリシェヴィキの対立はパルチザン軍と赤軍の戦いに発展し、最終的にパルチザン軍は敗れ、マフノもパリに亡命します。

池上　大杉は、伊藤野枝との間にもうけた一男三女のうち、最初に生まれた長女には、誕生時に世間から「悪魔の子」呼ばわりされたからという理由で魔子、次女と三女には、それぞれ米国のエマ・ゴールドマンとフランスのルイーズ・ミシェルという女性の無政府主義者にちなんでエマ、ルイズと名付けています。最後に生まれた長男ネストルはマフノが由来なのですね。

佐藤　マフノは革命後のウクライナで一九一八年から二一年までの三年間、「マフノフシチナ」と呼ばれるアナキズムに基づく解放区を作り上げ、そこでは「政党」「国家」のほか、すべての「過渡期」や「プロレタリア独裁」が否定された上で、労働者と農民の自主管理による共同体運営が行われました。

ボリシェヴィキは革命当初こそマフノフシチナの存在を容認していましたが、やがてこの存在を脅威と見なすようになり、マフノフシチナはマフノという独裁者による軍閥であるというプロパガンダを展開し、最終的に奇襲攻撃により崩壊させました。

大杉は死の直前に発表した論説「無政府主義将軍　ネストル・マフノ」の中で、「マフノヴィチナ（注：マフノ運動）とは、要するに、ロシア革命を僕等の云ふ本当の意味の社会革命に導かうとした。ウクライナの農民の本能的な運動である。マフノヴィチナは、極力反革命軍や外国の侵入軍と戦つてロシア革命其者を防護しつつ、同時に又民衆の上に或る革命綱領を強制する謂はゆる革命政府とも、戦つて、飽くまでも民衆自身の創造的運動でなければならない社会革命其者をも防護しようとした。マフノヴィチナは、全く自主自治な自由ソヴィエトの平和な組織者であると共に、其の自由を侵さうとする有らゆる敵に対する勇敢なパルチザンであつた」と称賛しています。

また大杉は一九二二年一一月に、フランス無政府主義同盟リーダーのアンドレ・コロメルから招待を受け、ベルリンで開催予定の国際無政府主義大会に参加するため渡欧するのですが、この際の記録『日本脱出記』の中で、往路の船上で出会った、ボリシェヴィキの無法行為から逃げてきた農民たちとの思い出を書いています。

〈……そのロシア人たちは二〇歳前後から二五、六歳ぐらいまでの青年で、みなハルピンからきたのだった。そしてその年かさのものは、みな兵隊に出て、まずドイツやオオストリイの軍隊と戦い、さらにボルシェヴィキの赤衛軍と戦って、ヨオロッパ・ロシアからシベリアに、シベリアからハルピンに逃げてきて、今はあるいはドイツに、あるいはフランスにそのもとの学業を続けに行くのだった。

僕はこのロシア人たちとすぐに一番いい友達になった。そして僕は、彼らのことをペチカ（ピョトルをピョちゃんというようなものだ）とか、ミンカ（ミハエル）だとか呼び、彼らもまた僕のことをマサチカ（彼らの間では僕は日本人として正一《まさいち》という変名でいた）と呼んでいた。

みな元気で快活で、よくしゃべり、よくお茶を飲み、よく歌を歌い、よくふざけ、よく踊り騒いだ。そんなのはこのロシア人の連中だけだったのだ。

僕も毎日そのお仲間入りをしていたが、しかし僕が一番興味を持ったのは、彼らの中の四、五人ことにペチカやミンカがよく話しだすロシアの内乱の話だった。そしてまたことに、彼らがヨオロッパ・ロシアやシベリアのいたる処の反革命軍に加わっていながら、帝政復興とか反革命とかの思想や感情を少しも持っていないことだった。

「じゃ、なんで、反革命軍なんかにはいったんだ？」

と聞くと、要するに彼らは、農民に対するボルシェヴィキの暴虐《ぼうぎゃく》に憤《いきどお》って、農民たちといっしょに武器をとって立っただけのことなのだ。

ボルシェヴィキが食料の強制徴発にくる。農民がそれに応じない。すると、その労働者と農民との政府は、すぐに懲罰隊《ちょうばつたい》をくりだす。全村が焼き払われる。男はみな殺される。

女子供までも鞭《むち》うたれる。そして最後の麦粉までも、またつぎの種蒔きの用意にとっておいた種子までも持って行かれる。山や森の奥深く逃げこんだ農民たちは、いわゆる草賊となって、ボルシェヴィキに対する復讐の容赦のないパルティザンとなる。

彼らはこの絶望的の農民といっしょになったのだ。そして、やはりまたその農民たちといっしょに、帝政復興とか反革命とかの考えは少しもなしに、ただボルシェヴィキに対する復讐と自己防衛とのために、そのボルシェヴィキと戦う唯一の力だと思われた反革命軍に加わったのだ。

これもその後フランスへ行ってから詳しく知ったことだが、こうしてロシアの反革命軍は、いたるところで農民のパルティザンを併《あわ》せて、ボルシェヴィキと戦った。そしてその反革命の野心を見やぶった他の農民のパルティザンとも戦った。そしてまたこの最後のパルティザンは、それと同時に、ボルシェヴィキの赤衛軍とも戦っていたのだ。そしてさらにまた、この赤衛軍の中には、まったく強制的に、その僅《わず》かばかりの財産とともに、からだまでも徴発されて行った農民がずいぶんあったのだ。

こうしたまったく混線の内乱の中で、いわゆる革命のために、ロシアの農民は何百万とかの生命を失ったといわれている。しかもその内乱は、ほとんどみな復讐と復讐との重なりあいの、聞いただけでも身の毛のよだつような容赦のない残忍の、猛獣と猛獣とのはた

しあいだったのだ。〉

アナ・ボル論争は理論的には「未決着」のまま

池上　大杉らアナキストたちが、本当の革命とはマフノフシチナのような労働者の自主管理的な共同体をつくることであり、マフノらを弾圧したボリシェヴィキはむしろ反革命なのだとボリシェヴィキ批判を強める中で決行されたのが、一九二二（大正一一）年七月一五日の第一次日本共産党の結成だった、ということなのですね。この第一次共産党結成の経緯については次の第四章で詳しく見ていくことにし、ここではアナ・ボル論争が日本に何をもたらしたのか、もう少し考えてみたいと思います。

佐藤　アナ・ボル論争は結局ボル派の優位に終わるわけですが、これは純粋に理論的な論争の結果そうなったわけでは全くないですよね。単にボリシェヴィキにはロシア革命を成功させたという実績があり、日本のボル派はその権威に最大限寄りかかった。ただそれだけの話だと思います。

池上　そうですね。ボル派から「私たちにはロシア革命という実際に成功した実例があるけれど、あなた方アナ派にはどんな実例があるんですか？」と言われるとアナ派としては辛い。

マフノフシチナにしてもボリシェヴィキによって短期間で潰されていますし、そもそも当時は情報が少なすぎて大杉以外のほとんどの人にとってはよく分からない存在だったのではないでしょうか。ボリシェヴィキに「マフノの軍閥にすぎない」と説明されて、納得してしまった人も多かったでしょう。

佐藤　何よりも、大逆事件で幸徳秋水が殺されたのに続いて、大杉栄と伊藤野枝が関東大震災のどさくさの中で甘粕正彦《あまかすまさひこ》に虐殺された結果、無政府主義者全般にあまりにネガティブなイメージがつきまとうようになってしまったのが致命的でした。

関東大震災と甘粕事件

池上　そうですね。大杉と野枝が殺されたのは一九二三（大正一二）年九月一六日。二週間前の一日午前一一時五八分に発生した関東大震災と、その後の大火災で東京府と神奈川県を中心に大きな被害が発生し、首都圏がまだ混乱状態で戒厳令も発せられていたさなかでした。

その日の大杉と野枝は、野枝の前夫である辻潤を見舞うため鶴見まで出かけていましたが、辻が不在だったため近所にあった大杉の実弟の家を訪問。そこに偶然、妹の橘あやめとその六歳になる息子宗一もやってきて宗一が東京の様子を見たいとせがんだため、彼を預かって三人で淀橋区（現・新宿区）の自宅に帰ることになりました。

ところがその家の付近では東京憲兵隊の甘粕正彦大尉（分隊長）が部下たちとともに張り込みをしており、夕刻に帰ってきた三人を拘束。大杉が「子供だけは帰せ」と求めたにもかかわらず、三人ともまず淀橋署に連行され、次いで自動車で麴町の憲兵司令部に連れて行かれました。

無政府主義の大物である大杉と野枝が消息を絶ったことは戒厳令が解かれた九月一八日に新聞紙上で大きく報じられ、まもなく三人が淀橋署に連行されていたことが発覚しました。そこから彼らが甘粕により麴町の司令部で殺害され、遺体は古井戸に投げ棄てられていたことが芋づる式に明らかになっていきました。

甘粕らはすぐに軍法会議にかけられ、その予審で甘粕は、部下の森慶次郎曹長が大杉と雑談まじりの取り調べをして油断させたところで甘粕が入室し、背後から柔道の締め技で首を締めて殺し、同じ手口で野枝も殺したと供述しました。

甘粕は当初、宗一も自分で殺したと供述していましたが、その後宗一に関しては鴨志田安五郎と本多重雄という二名の上等兵が実行犯だったことが判明し、取り調べは一部やり直しとなりました。取り調べでは上等兵らが宗一殺害時、甘粕から「上官の命令だからやり損なうな」との指示を受けていたと証言し注目されましたが、憲兵隊の小泉六一少将と小山介蔵大佐が自分たちの関与を否定すると、軍上層部の関与がそれ以上追及されることはありませんでした。

動機については、無政府主義者たちが震災後の混乱に乗じて朝鮮人を扇動し政府転覆の企てを起こそうとしているとの噂を甘粕が信じたためとされ、大杉殺害後には堺利彦と反戦社会運動家の福田狂二《ふくだきょうじ》を暗殺する計画もあったとの供述もなされました。

軍法会議公判で首謀者と断定された甘粕には懲役一〇年、森曹長には同三年の判決が下され、甘粕は千葉刑務所に三年弱服役しましたが、一九二六（大正一五）年に摂政宮裕仁《せっしょうのみやひろひと》親王（後の昭和天皇）成婚による恩赦で釈放されました。その後は一九二七（昭和二）年に陸軍から官費を支給され夫婦でフランスに留学。一九三〇年に帰国するとすぐに満州に渡って南満洲鉄道東亜経済調査局奉天主任となり、さらに奉天の関東軍特務機関長土肥原賢二《どひはらけんじ》大佐のもとで満州国の建国に関わりました。

なお、甘粕事件に前後して関東大震災の混乱に乗じて発生した事件は他にもいくつかあります。

最も有名なのは戒厳令下の九月三日、内務省警保局が「朝鮮人は各地に放火し、爆弾を所持し、放火する者あり。厳重なる取締りを加えられたし」との電文を各地の地方長官に送信したのをきっかけに「朝鮮人が放火した」「井戸に毒を入れた」などの流言飛語が民

この本の タイトル	

本書をどこでお知りになりましたか。

1 新聞広告で　2 雑誌広告で　3 書評で　4 実物を見て　5 人にすすめられて
6 新書目録で　7 車内広告で　8 ネット検索で　9 その他（　　　　　　　　　）
＊お買い上げ書店名（　　　　　　　　　　　　　　　　　　　　　　　　　）

本書、または現代新書についてのご意見、ご感想をお聞かせください。

最近お読みになっておもしろかった本（特に新書）をお教えください。

どんな分野の本をお読みになりたいか、お聞かせください。

★下記ＵＲＬで、現代新書の新刊情報、話題の本などがご覧いただけます。
gendai.ismedia.jp/gendai-shinsho

郵便はがき

料金受取人払郵便

小石川局承認

1107

差出有効期間
2024年7月9
日まで

1 1 2-8 7 3 1

東京都文京区音羽二丁目
十二番二十一号

講談社　学芸部

現代新書　行

愛読者カード

あなたと現代新書を結ぶ通信欄として活用していきたいと存じます。ご記入のうえご投函くださいますようお願いいたします。

(フリガナ)
ご住所　〒□□□-□□□□

(フリガナ)
お名前

生年(年齢)
(　　歳)

電話番号

性別　1男性　2女性

メールアドレス

ご職業

★**現代新書**の解説目録を用意しております。ご希望の方に進呈いたします（送料無料)。

1希望する　　2希望しない

TY 000043-2205

衆の間に広まり、朝鮮人や、朝鮮人に間違われた中国人、日本人など合計数千人――人数については諸説ありますが――が殺傷された「朝鮮人虐殺事件」ですね。

ほかにも九月三日から四日にかけて、労働運動が盛んだった東京府南葛飾郡亀戸《かめいど》町（現在の江東区亀戸）で、労働組合の活動家であった川合義虎《かわいよしとら》、平沢計七ら一〇名が亀戸署で憲兵隊の兵士に殺害された「亀戸事件」、やはり南葛飾郡在住で、在日中国人労働者たちのリーダーであった王希天《おうきてん》が九月一二日に陸軍に殺された「王希天事件」が起きています。

さらに一二月二七日には、東京府東京市麹町区虎ノ門外で摂政宮裕仁親王が山口県出身の日雇い労働者・難波大助《なんばだいすけ》から狙撃される暗殺未遂事件「虎ノ門事件」が発生し、事件を未然に防げなかった第二次山本権兵衛《やまもとごんべえ》内閣は総辞職しました。

難波は日雇い労働者として暮らすなかで労働運動や社会主義運動とも接点を持ち、当時は大逆事件の資料を読み漁り、甘粕事件や亀戸事件にも衝撃を受けていました。裕仁親王を狙ったのは皇族へのテロを行うことで無産労働者の皇室崇拝の念を絶ちたかったからだとの供述が残っています。

難波は事件翌年の一九二四年一一月の裁判で大逆罪を適用され、死刑になりましたが、死刑判決を受けた法廷で難波は、「日本無産労働者、日本共産党万歳、ロシア社会主義ソビエト共和国万歳、共産党インターナショナル万歳」と三唱したと言われています。

ソ連に寄りかかったマルクス主義

池上　さて、話をアナ・ボル論争に戻すと、大杉が虐殺されたことで無政府主義は完全に下火となり、論争はなし崩し的にボル＝マルクス主義側の優位のまま終わりました。これにより社会矛盾に対する左派の異議申し立て運動は、マルクス主義の影響を避けてはできないものに事実上なってしまいました。

佐藤　マルクス主義絶対化だけならまだ良かったのですが、アナ・ボル論争が理論をぶつけ合った結果でなく、「なんとなく」ボル派の優位に終わってしまったことで、これ以降誰もロシア革命を相対化できなくなってしまったのはそれ以上に大きな問題でした。

池上　そうですね。ソ連が正当な社会主義国であり、レーニンがマルクスの延長線上にいる指導者であるということを、労農派・講座派のどちらの派に属していようとマルクス主義者である以上は基本的に皆認めているという状態が戦後も続いてしまいました。ソ連の体制に疑問を持つ人は戦後一九五六（昭和三一）年にソ連共産党のフルシチョフ第一書記がスターリンの生前の行いを批判するまで左翼陣営からはついに現れませんでした。

佐藤　労農派に関してはソ連を認めた上で、「だからといってコミンテルンの言うことに従う必要はあるのか」という問題提起はしたのですけど、相違点と言えるのはそこだけですね。トロツキーがスターリンに対して行ったような「ソ連は腐敗した労働者国家である」といった位置づけもしませんでした。

池上　それどころか、「トロツキー」が長いあいだ「反革命」「裏切り者」の代名詞になってしまいましたからね。

佐藤　それも結局はアナ・ボル論争が、ボル派が権威に寄りかかることで決着してしまった結果です。

日本の左翼のほとんどはロシア革命がマルクス主義の延長線上に行われたと信じていましたが、「共産党宣言」を初めてロシア語に翻訳し、母国にマルクス主義を伝道した「ロシア・マルクス主義の父」ゲオルギー・プレハーノフは、レーニンが作り上げた体制に幻滅し、十月革命は「史上最大の災厄」とまで批判していました。

マルクスの故国ドイツでも、ローザ・ルクセンブルクや「マルクス主義の教皇」と呼ばれたカウツキーらは、いずれもレーニンの革命はマルクス主義とは関係ないとみなしていました。こうした伝統があればこそ欧州では非ソ連型のマルクス主義を目指す勢力が戦前戦後を通じて命脈を保ちましたが、日本ではそうした多様なマルクス主義が息づくことはありませんでした。

ソ連に対する距離感こそ違うものの、労農派を含めて誰もが大きな意味ではソ連の傘の下に収まってしまったわけです。

高畠素之が見抜いていたロシア革命の本質

佐藤　そういう意味では、大杉死後の社会主義者たちのロシア革命観は現実から乖離していました。ただ強いて言うなら、高畠素之だけがロシア革命の本質を理解していたのではないかと思います。

池上　『資本論』を全訳した人物だけに、あの時代において誰よりも『資本論』を読み込んでいた人なのは間違いないでしょうね。

佐藤　それも通算で三回も全訳していますからね。机に向かって熱心に翻訳しているうちに座布団の下の畳が腐って床が抜けかけた、という有名な逸話が残っています。

高畠は『資本論』を読み込んでいくうちに、『資本論』の論理は正しいけれども、マルクス主義は間違いである、と考えるようになりました。

『資本論』を何度も何度も読むうちに、マルクスが人間の善意を信頼し過ぎていることが高畠には不満に感じられるようになりました。さらに読んでいくうちに、マルクスはダーウィンの進化論も、ハーバート・スペンサー流の社会進化論もよく理解していないのではないか、という疑問をも持つようにもなりました。

マルクスが考えるプロレタリア革命とは、労働者たちが過酷な競争をさせられた結果、反発して行うものですが、この図式は高畠にとってリアリティのあるものではありませんでした。革命とは、革命を主導する一部の人間が自分だけ特権的な地位に就きたいと誘惑に駆られるから起きるものであって、人間とは本来そうした性悪な存在なのだ、と考えたのです。

高畠のこの性悪説に立てば、そのような人間の強欲・利己主義を抑制するには、もっと性悪で暴力的な国家の力によって抑えるしかない、ということになります。

したがって人間の善意に頼る共産主義（＝無政府主義）は間違いであり、社会主義でいくしかない。しかも、それは国家の力によって実現する社会主義であるべきだ——というロジックで高畠は国家社会主義を唱え始めました。ドイツでナチス、イタリアでムッソリーニがファシズムを提唱するよりも早い段階でした。

そしてソ連ができたとき、高畠は両手を振って歓迎しました。なぜかといえば、ソ連はマルクスが理想としていたような最終的には国家を廃絶していく方向ではなく、むしろ正反対の、国家機能を強化していく方向での労農帝国主義革命を始めたからです。

池上　つまりソ連という国家が国家主義的で、帝国主義的でもあると判断したために高く評価した、ということですか。

佐藤　はい。しかし高畠のこの見方は、ソ連の本質をある意味で誰よりも正確に捉えていたものでもありました。

マルクス主義とは縁もゆかりもない赤色帝国主義、つまり共産主義国家が共産党の名前の下に、ものすごい暴力装置をもって格差の是正を行う素晴らしい体制であり、ファシズムのイタリア同様に見習うべき国家体制だと思ったわけですね。

そして高畠は、日本もこのような国に変えていきたいという一心から、陸軍への接近を始めました。陸軍大将の宇垣一成《うがきかずしげ》などの知遇を得て陸軍内に人脈を作り、軍人たちを自分の思想に染め上げ、軍主導で日本の国家改造を行い、平等な社会を実現しようとしたわけです。

ですから彼が生きていたら、五・一五事件も二・二六事件も、実際に起きたものよりずっと陰惨に推移していた可能性が高いでしょう。彼が一九二八（昭和三）年に四二歳で胃癌により亡くなったのは、日本にとっては不幸中の幸いだったのかもしれません。

第四章
日本共産党の結成と「転向」の問題

苛烈極まる治安維持法、特高による弾圧、転向者の出現。
戦時中の左翼は再び「冬の時代」に入る――。

《第四章に関する年表》

一九二二年	第一次日本共産党結成。山川均が『前衛』に「無産階級運動の方向転換」発表（山川イズム）。全国水平社結成。
一九二三年	第一次共産党への一斉検挙。堺利彦、野坂参三ら大量に逮捕。
一九二四年	第一次共産党解散。
一九二五年	治安維持法、普通選挙法の成立。
一九二六年	日本共産党（第二次）再建。大正天皇崩御。
一九二七年	徳田球一と福本和夫がモスクワ訪問。ブハーリンが「二七年テーゼ」通告。『労農』創刊。
一九二八年	徳田球一逮捕。三・一五事件。向坂逸郎が九州帝国大学の教授を辞任させられる。
一九二九年	四・一六事件。宮本顕治が「『敗北』の文学」で『改造』懸賞論文に当選。
一九三〇年	創価教育学会結成（創価学会の前身）。『日本資本主義発達史』発刊。
一九三一年	宮本顕治、共産党に入党。
一九三二年	血盟団事件。コミンテルン、「三二年テーゼ」を発表。
一九三三年	日本資本主義論争始まる。小林多喜二、拷問死。

	佐野学・鍋山貞親による「共同被告同志に告ぐる書」（転向）。
	共産党スパイ査問事件。
一九三五年	第二次大本事件（大本弾圧）。
一九三六年	二・二六事件。コム・アカデミー事件（講座派が壊滅）。
一九三七年	人民戦線事件。
一九四三年	牧口常三郎検挙。翌年獄死。

治安維持法による運動家の弾圧

池上　さて、いよいよ最後の章です。この章の途中で時代は大正から昭和へと切り替わり、世相もだんだんとキナ臭さを増していきますが、その昭和初期の日本で左翼の思想家・運動家たちがいかなる運命を辿ったのか、日本共産党の誕生から崩壊までの過程を中心に見ていくことにしましょう。ただその最初期の展開は、現代の我々が想像する以上にバタバタなものでした。

一九二〇年代当時のボリシェヴィキが革命の「輸出」を目指し、共産主義運動の国際組織であるコミンテルンの支部を各国に作らせようと働きかけていたのは前章でも話したとおりです。日本社会党など合法団体を立ち上げてもそのたびに解散を命じられてきた日本の状況を踏まえれば、コミンテルンの支部など非合法の秘密結社でなければ不可能なことは明白でした。この頃の堺利彦や山川均らは、もはや秘密結社でもやむをえないという心境にありました。

佐藤　特に一九二〇（大正九）年に結成した日本社会主義同盟が、政府の弾圧によりわずか半年で解散させられたことの衝撃が大きかったと山川は自伝で明かしています。

〈同盟の弾圧は、合法的な政治団体をつくる見込みがない、政治運動をやるには秘密結社でやるほかないという気持を強く植えつけ、これがやがて共産党への道につながるのです。ですから当時は厳密に共産主義の理論の上に立っていようがいまいが、実践運動のための団体をつくれば秘密結社とならざるを得ない。それが共産党の樹立をうながすことにもなったのです〉

〈社会主義同盟は、日本の社会主義運動史の上から見ると、一つの転換点になっているように思われるのです。あそこで初めて社会主義運動が今までの思想運動から政治運動へ変る、その変り目というような意味をもっていると思うのです。(中略)ところが弾圧のためにそういう発展が中断されたのです。そこで合法的に政治運動をやるとか、合法的に政治的な団体をつくるという希望はなくなったのです〉

〈こういうグループの間で、特にその連絡会議のような会合で、この際どうしても秘密結社としての共産党をつくらなければダメだという気分がだんだんともりあがってきたのです。それには私自身も大いに責任があるわけで、私の出していた『前衛』や『社会主義研究』でも、ロシアの共産党の組織はどうなっているとか、活動の仕方などをたびたび紹介していました。このようにしていわば共産党熱というようなものがわきあがり、共産党というものがあこがれのマトみたいになったのです〉

なお社会主義同盟の解散以来、社会主義勢力は主義主張により小グループに細分化していた状況にあって、マルクス主義者たちが自分たちを社会民主主義者などと差別化するために「共産主義者」と称する呼び方はこの頃には定着しつつありました。

池上　そうしたなかコミンテルンの側も、日本の社会主義者とのパイプを太くしようと堺利彦、山川均らに誘いをかけており、一九二一年五月には近藤栄蔵が上海のコミンテルン極東部委員会を訪ね、共産党結党のための資金として五〇〇〇円（六五〇〇円との説も）を受け取って帰りました。現在の価値にして二六〇〇万円ほどになります。

しかし思いがけない大金を手にした近藤は、帰国後すぐに下関の遊郭で豪遊。あまりに金遣いが派手なことを怪しんだ官憲に逮捕され、あろうことかカネの出所がコミンテルンであることまで白状してしまいました。

のちに制定される治安維持法とは違い、労働運動の規制を主目的としていた治安警察法では外国の政治団体からの金銭授受だけでは罪に問えなかったので近藤は釈放されますが、山川らは政府に出所を把握されている資金で共産党を結成することに反対しました。やむなく近藤は同年八月に高津正道ら暁民会のメンバーとのちに「暁民共産党」と呼ばれることになる政治団体を結成し、一一月の陸軍大演習に合わせ、「上官に叛《そむ》け」などと書かれた反戦ビラを「共産党本部」名義で大量に刷って将兵宛に送付しました。これが治安警察法違反となって近藤以下約四〇人が検挙され、近藤が一〇ヵ月の禁錮刑を受け暁民共産党は壊滅します。

近藤による一連の不用意な行動は政府の警戒心をいたずらに刺激する結果となり、高橋是清内閣は一九二二年二月の国会で、無政府主義、共産主義その他の「朝憲を紊乱《びんらん》」する事項や、社会の根本組織を暴力によって変革する事項を宣伝もしくは宣伝しようとした者に懲役刑を科す「過激社会運動取締法案」を提出。この法案は新聞・世論の反対が強く成立しませんでしたが、三年後の二五年、普通選挙制度導入のバーターという形で治安維持法が制定されたことで名前を変えて実現しました。

日本共産党を過大評価したコミンテルン

池上　日本の社会主義者に対するコミンテルンの働きかけは近藤栄蔵の失策にもかかわらず継続され、一九二一年一〇月にはコミンテルン極東書記局中国課の張太雷《チャン・タイライ》書記が来日し、堺や山川らと接触。翌二二年一月に中国や朝鮮など東アジア各国の社会主義者が集まって開催されることが決まっていた「極東諸民族大会」への出席を打診しました。

堺、山川も大会への代表派遣を了承し、「暁民会」所属の早稲田大学学生・高瀬清《たかせきよし》（当時二〇歳）と、山川の自宅に毎週水曜日に集まっていたグループ「水曜会」に参加していた若手弁護士・徳田球一（同二七歳）、さらに別途に誘われた無政府主義者の小林進次郎など合計一〇名がモスクワに行くことになりました。また国外からは「在米社会主義者団」から片山潜ら六人も参加し、片山はこれを機にロシア（ソ連）に渡り、コミンテルン常任執行委員会の幹部となります。

また、大会にはまだロシア共産党書記長になる前のスターリンも来ており、前述の小林らはスターリンに直々にオルグされた結果か、無政府主義を放棄して共産主義者になると宣誓したとの記録がロシア側に残っています。高瀬と徳田もスターリンから革命運動のイロハについて指南を受け、さらに当時の金額で五万円、つまり現在の価値で二億円以上もの活動資金を受け取って帰国しました。

ただ、高瀬清ら日本代表はこの時にかなりでたらめな報告をしていたようで、日本の共産党は「たった二〇七名」ではあるがすでに組織されていて、その四〇％は労働者、一五％は知識人（学生）で構成され、彼らは皆未熟ながら合法・非合法のパンフレットを出し、各都市に細胞を作っている……といった全くのでまかせを並べていました。

一方でコミンテルンの側も、この頃はまだ日本の現状をほとんど把握できていませんでした。レーニンの側近でもあったコミンテルンのグリゴリー・ジノヴィエフ議長は大会の演説で、「日本ブルジョアジーの敗北と日本における革命の究極的勝利こそ、極東問題を真に解決しうる唯一のものである」と日本での革命の重要性を強調する一方で、「我々は日本のような国で何が起こっているか、ほとんど知らない」とも言っています。

この最初のボタンの掛け違いは、日本共産党が実際に結党された後、その指導者たちがコミンテルンの指示を盲従的に受け入れてしまったことも加わって、悲劇を生みました。

佐藤　実際は戦前を通じてサークル以上のものにはなれなかった共産党の実力を、コミンテルンが過大評価してしまいましたね。荒畑寒村もこの翌年にモスクワを訪問し、コミンテルンの幹部たちと直接話をする機会を得ていますが、この時に荒畑は「ロシアの指導者で日本に亡命し、日本語を解し、日本の事情に通じている者はほとんど絶無」であり、「これではコミンテルンの執行部が、いかに世界の革命的頭脳を網羅していようとも、日本の情勢に関する的確な知識を得て具体的な方針をたて得る筈がない」(『寒村自伝』)と感じて帰国しています。

なお荒畑は高瀬と徳田がコミンテルンから貰った五万円の活動資金について、自伝で次のように書いています。

〈徳田の報告によれば、モスクワから持参した運動資金を安全のために同行の小林進(註：進次郎のことと見られる)に托しておいたが、小林は恐怖の余り帰りの船中で海に投じたということである。だが、その小林は帰来、杳として消息を絶っているから真偽をただす

ことは不可能で、どうも釈然としない。〉

第一次共産党の結成

池上　そして高瀬と徳田が帰国した後の一九二二（大正一一）年七月一五日、東京府渋谷の伊達町（現在の渋谷区恵比寿三丁目）にあった高瀬の下宿――産婆の家の二階だったそうですが――に高瀬本人と堺利彦、山川均、近藤栄蔵、高津正道ら計八人が集まり、治安警察法に反する非合法政党として日本共産党を結成しました。

初代の中央委員長には堺利彦を選出し、堺、山川、荒畑、近藤、高津、徳田らが中央委員ということになりました。そのほか早大商学部講師の佐野学や「南葛労働会」の渡辺政《わたなべまさ》之輔《のすけ》[33]、「日本労働総同盟」の本部書記だった野坂参三や鍋山貞親《なべやまさだちか》なども入党し、党員は全体で一〇〇名程度だったようです。

このときの彼らの年齢を記しておくと、最年長の堺が五一歳で山川が四一歳。以下、近藤三九歳、荒畑三四歳、佐野と野坂が三〇歳、高津二九歳、徳田二七歳、渡辺二二歳、高瀬と鍋山が二〇歳でした。

そして結党四ヵ月後の一一月にモスクワで開かれたコミンテルンの第四回大会に荒畑寒村を代表として派遣し党の設立を報告、ここで正式にコミンテルンの日本支部として承認された、という経緯ですね。党員数は一〇〇名程度だったようですが、大会での高瀬の話と辻褄を合わせるためか、二五〇名と報告されました。

「コミンテルン日本支部」という本来の性格を考えるなら、こちらを正式な結党記念日にしてもよさそうに思えるのですが、現在の日本共産党は自分たちが「コミンテルンとは無関係に独自に誕生した党」であるという立場を取っていることもあり、あくまで七月一五日を創立の日であるとしています。

佐藤　二〇二二年の創立一〇〇周年記念日も七月一五日でしたが、こういうところが欺瞞的ですよね。七月の時点でできていたのは正確にはまだ準備会にすぎず、一一月にコミンテルンに認定してもらって初めて「共産党」になったわけですから。

鍋山貞親

「二二年テーゼ」問題と第一次共産党弾圧

佐藤　実際にはこの第一次共産党は、自分たちの基本方針

33　渡辺政之輔（一八九九～一九二八）：戦前の日本共産党における労働者出身の指導的幹部の一人。一九二二年創立の日本共産党に参加。「二七年テーゼ」作成に参加し、その普及に努め、中央常任委員・組織部長となり、『赤旗』発刊に努力、一九二八年二月の総選挙以後委員長となった。

となる綱領さえ独自に作成することが許されない立場でした。コミンテルンは一九二二（大正一一）年六月の段階で同党の綱領を作成するための委員会を組織しており、ここに片山潜なども加わって綱領草案の起草が進められていたのです。

池上　コミンテルンの理論家であるニコライ・ブハーリン中心にまとめられたとされる、通称「二二年テーゼ」ですね。

佐藤　そうです。「綱領草案」＝「二二年テーゼ」は、日本共産党が遂行すべき中心的な任務を定めており、受け取った日本共産党の側でも一九二三年三月から草案の検討を始めました。

ここでコミンテルンは、日本の資本主義の現状を次のように整理していました。

〈日本資本主義は、（第一次世界）大戦によって他の国ぐににほどはげしい打撃はこうむらなかったので、大戦中に大いに発展をとげたが、それとともに、いまなお以前の封建的諸関係の跡をいちじるしくとどめている。土地のかなり大きな部分が半封建的土地所有者の手中にあり、その最大のものは、日本政府の首長である天皇である。〉（『日本共産党綱領問題文献集』所収「日本共産党綱領草案（一九二二年綱領草案）」より）

池上　つまり日本の資本主義はすでに相当に発達していることは間違いないが、国土の相当部分は半封建領主的な存在である天皇が握っており、したがって政治体制も封建時代をまだ引きずっている、と。

佐藤　はい。それゆえにコミンテルンは、こうした半封建的な性格をもつ日本の統治機構はまもなく小作農を困窮に追い込むだろうし、その次には政治参加を阻まれているホワイトカラーや知識層が反政府に目を向けるはずだ。だから労働者階級の代表であるお前たち日本共産党の使命は、当面は半封建的な政治体制に反対するあらゆる階層を結集し、「民主主義革命を完成」させることであり、それが実現した段階であらためて社会主義革命に前進しろ、と命じたわけです。

池上　つまり、ロシア革命においてまずブルジョア革命（二月革命）でロマノフ朝が倒され、次いで社会主義革命（十月革命）が起きたのと同じように、日本でも二段階で革命を遂行すべきであると示したのですね。

佐藤　ただ、いずれにしても「二二年テーゼ」は、この少し後に第一次共産党が治安警察法による一斉摘発を受けてしまったため検討不能となり、正式採用されることはありませんでした。

池上　そうですね。一九二三年六月に堺委員長以下、山川、徳田、野坂など党の指導者を含む約八〇人が検挙され、二九人が起訴。これにより誕生から一年もたたないうちに早くも崩壊の危機に立たされてしまいました。検挙のきっかけは、佐野学が所持していた党の秘密書類が、スパイを通じて警察に流出していたためだと言われています。

そして一斉検挙から三ヵ月後の九月一日には関東大震災が発生し、「甘粕事件」で大杉栄と伊藤野枝が殺されました。ちなみに「亀戸事件」で殺された川合義虎は、現在の日本共産党の青年組織「民青同盟」の前身である「日本共産青年同盟」の初代委員長でもありました。

佐藤　こうした一連の弾圧に堺、山川は衝撃を受け、日本での共産党結成は時期尚早であったとして解党論を主張します。

山川は、「共産党が自然にもりあがった気分の中から生まれたという点はいいのだが、あまりに無計画に、急ごしらえの粗製乱造的にできあがったと思う。（中略）党内では秘密を守るために規律が厳重だったが、外から見ると党の輪郭もほぼ見当がついて、少々コッケイではなかったかと思う。第一次共産党が小さなセクトになってしまったわけも、こういう出発点にあったのではないかと思う」（『山川均自伝』）と書いています。

「山川イズム」とは何か

佐藤　山川が解党論の根拠としたのは、彼が一九二二年一月に創刊した雑誌『前衛』の同年七・八月合併号――つまり第一次共産党結成直後で、一斉摘発の一年近くも前――に寄稿した、「無産階級運動の方向転換」という彼自身の論文でした。

池上　後年「山川イズム」と呼ばれることになる理論ですね。労働運動と社会主義革命の関係についてのひとつの基本的なモデルを示し、戦後の社会党や総評（日本労働組合総評議会）のあり方にも影響をおよぼすことになりました。

佐藤　はい。この論文で山川は、革命運動の最初期を「少数の先覚者」が担うのは仕方がないことながら、この世に搾取者の階級と被搾取者の階級が存在する以上、階級意識は遅かれ早かれ多くの人が共有するはずのものだと述べています。長くなりますが、一部を引用してみましょう。

〈無産階級の運動は、まず大衆にさきだって階級的にめざめた、少数者の運動からおこってくる。

階級意識は天から降ってくるものでもなければ、地からわきでるものでもない。それは資本主義の社会には、搾取者の階級と被搾取者の階級とが対立しているという、生活の現実がわれわれの頭に映じた影である。階級意識は五人や三人の非凡な天才のみが意識することのできるむつかしい理屈ではなくて、いやしくも資本主義の社会に生活している以上は、無産階級全体の頭のなかに、一様にわいてくる意識である。一様にわいてこなければならぬ意識である。しかしそれには多少早いと遅いの差別はある。〉

そして山川は、革命が実を結ぶには階級意識を多くのプロレタリアートが共有する「第二歩」の段階に進まなくてはならないのに、日本ではその段階になかなか進めなかったがゆえに運動が弱かったと反省します。

〈階級意識がまだはっきりとしておらず、階級的の団結も組織もない混沌とした無産階級の大衆のうちに、きわめて少数ではあるが、徹底した思想の上に立って、徹底した行動をとろうとする戦闘的の分子が生まれ、この分子がなんらかの形で結合したときに、無産階級運動は、まさにその第一歩をふみしめたものである。そして日本の無産階級運動は、この第一歩をふみしめた。しかもりっぱにふみしめた。われわれは第二歩をふみださねばならぬ。〉

〈日本における今日までの社会主義運動は、ごく少数の運動であった。この少数は、資本主義そのものの成熟し発達するにつれて、ふえたには相違ない。現に急速にふえつつある。けれども、ともかくも、日本の社会主義は今日にいたるまで、一度もまだ大衆的の運動となったことはない。

日本の社会主義運動は、思想的に徹底した。少なくとも戦争前までの各国の社会主義運動にくらべたなら、日本の社会主義運動は、思想的には徹底し純化していたことを認めねばならぬ。けれども日本の社会主義運動が思想的に徹底し純化するためには、高価な代価が払われている。すなわち大衆と離れたことである。〉

〈しかしながらこうした潔癖な「革命的」の態度をとることになれば、資本制度のもとにおこるいっさいの事がらを、ただ片っ端から口さきや筆さきで否定するだけあって、まず10人か20人の御定連が集まって、革命の翌日を空想して気焔をあげるか、巡査を相手に「革命的」の行動にでて、一晩の検束をうけて大いに「反逆の精神」を満足させるくらいが関の山である。資本制度を否定はするが、実際においては、かえって資本制度そのものには、小指一本も触れてはおらぬ。かような消極的の態度をとっているうちは、社会主義運動が思想的に純化すればするほど、それは無産階級の大衆とは離れてくる。かような態度は虚無主義者の理想であっても、決して社会主義運動――すなわち無産階級の大衆的運動――の態度でないことはいうまでもない。そしてわれわれはたしかに、この誤謬におちいっていた。〉

〈次の第二歩においては、われわれはこの目標にむかって、無産階級の大衆を動かすことを学ばねばならぬ。〉

〈無産階級運動の第二歩は、これらの前衛たる少数者が、徹底し、純化した思想をたずさえて、はるかの後方に残されている大衆の中に、ふたたび、ひきかえしてくることでなければならぬ。〉

〈「大衆の中へ!」。しかしながらわれわれはそれと同時に、なお資本主義の精神的支配の下にある大衆の中に分解してしまうてはならぬ。われわれがせっかくふみしめた第一歩を棄てて、少数の前衛が大衆の中に分解してしまうたなら、その時こそ無産階級運動の一歩前進ではなくて、革命主義から改良主義と日和見主義への堕落である。〉

池上　要するに、これまで少数のエリートだけが担っていた社会主義運動が次の段階に進むには地道な大衆運動にもっと力を注ぎ、大衆を味方につけなければいけない、しかしだからといって、単なる改良主義に終わってしまってはならず、あくまで社会主義革命の実現に繋げていかなければいけない、ということですね。

この論文が書かれたのが第一次共産党結党の直後であることを考えると、山川は第一次共産党も徐々にこうした大衆運動にリンクさせていく展望を持っていたのかもしれませんね。

ただ実際には一斉検挙であっけなく瓦解してしまったのを見て、今はまだ合法的な大衆運動に全力を注ぐべき時だと考え、「だったらいっそ解党するべきだ」と主張した、ということでしょうか。

「ビューロー」で党再建を目指した荒畑寒村

佐藤　それに対して、モスクワに派遣されていたため逮捕を逃れた荒畑寒村は解党に強く反対しました。荒畑は関東大震災の報を聞いて帰国後、警察の手から逃れるために伊豆長岡に潜伏していたのですが、そこに彼にとっては弟子のような存在であった党幹部・佐野《さの》文夫《ふみお》が訪ねてきました。

池上　佐野文夫は東京帝国大学中退後、大連の南満洲鉄道調査課や外務省情報部に在籍した秀才ですね。一高時代には菊池《きくち》寛《かん》と同級生で、佐野の才気に惚れ込んだ菊池寛が佐野の不祥事の責任を身代わりに引き受け退学するなど、逸話の多い人物でもあります。

佐藤　荒畑はその佐野文夫から、堺や山川ら保釈された者が全員解党論者となったと聞かされ驚き「殊に山川君はもっとも徹底的な解党の主張者だと聞かされたのは、私にとって大痛棒たるをまぬがれなかった」（『寒村自伝』）とも書いています。

荒畑が佐野から聞かされた解党の理由は、「日本共産党は小さな社会主義者のグループが個人的な関係で結集したもので大衆運動の中から生まれたものではない。そのためにセクト的な傾向が強く、大衆運動との結節点が作れない。したがって思い切って解党し、大衆運動を活性化させることに注力し、それを基盤に新しい党を作るべきだ」という趣旨のものでした。

池上　山川イズムのロジックそのままですね。

佐藤　ただこのときの荒畑はこの理屈に納得できず、たとえ解党しても、「将来の再建に備えて基礎的な組織だけは残さねばならぬ」と主張しました。そして一九二四年三月、将来の党再建を目指すグループ「ビューロー」が組織され、ここには荒畑寒村、佐野文夫、徳田球一など五名だけが残りました。

池上　現在の日本共産党は、党の正史で解党論を「敗北主義」「党の正規の決定とはいえない」「誤り」であったと批判していますね。

第二次共産党の再建と「福本イズム」

池上　このビューローを基盤として一九二六（大正一五）年一二月四日に山形県の五色《ごしき》温泉に渡辺政之輔、徳田球一、佐野学、佐野文夫、鍋山貞親などのほか労働運動出身の三田村《みたむら》四郎《しろう》、ジャーナリスト出身の市川正一《いちかわしょういち》、さらに福本和夫《ふくもとかずお》[34]ら一七名が集まり、東京深川の蓄電池会社の忘年会を偽装して第三回党大会を開催。これをもって日本共産党（第二次共産党）の再建がなされました。中央委員長に佐野文夫、政治部長に福本和夫、組織部長に渡辺政之輔らが選ばれた一方、第一次共産党の解党時に猛反対した荒畑寒村はけっきょく加わりませんでしたね。

佐藤　この時までに荒畑はビューローからも距離を置くようになっており、第二次共産党への入党も拒否しました。ビューローのメンバーたちが、第二次共産党結党時に政治部長に就任した福本和夫の「福本イズム」に佐野文夫も含め揃って強く影響され、その結果偏狭なセクト主義に染まってしまったことに辟易していたからです。

　福本は一八九四年鳥取県久米郡下北条村《しもほうじょう》（現・東伯郡北栄《ほくえい》町）生まれ。東京帝国大学法学部を卒業後、松江高等学校（現・島根大学）教授を経て一九二二年から文部省の在外研

福本和夫

34　福本和夫（一八九四～一九八三）：マルクス主義理論家。一九二四年にドイツ・フランスへの留学から帰国後、雑誌『マルクス主義』にその成果を次々と発表して注目を集め、一九二六年には山川均の唱える共産主義運動の指導理論を批判した。

究員として英独仏に二年半留学し、ドイツ・フランクフルト大学でハンガリーの哲学者ルカーチ・ジェルジュや、ドイツの思想家カール・コルシュのもとでマルクス主義を学びました。

一九二四年に帰国後は官費留学生に課せられていた規定で山口高等商業学校（現・山口大学）教授に転任。第一次共産党が解党直後の一九二四年五月に創刊した党の合法的理論機関誌『マルクス主義』の最も熱心な執筆者となりました。

この『マルクス主義』の一九二五年一〇月号に掲載された、「『方向転換』はいかなる諸過程をとるか、われわれはいかなる過程を過程しつつあるか」こそ、福本イズムを最も象徴する論文です。

一九二〇年代のなかばにおいて、無産者階級が方向転換期を迎えているという現状認識は福本も山川も同じでした。しかし福本は「どこ」に向かって方向転換するかを問題にし、方向転換は「全組織過程」、つまり賃上げ要求のような経済闘争から脱し、階級意識に目覚めた大衆も含めた真に革命的な政党をつくる過程の中に位置づける必要があると主張しました。

池上　山川も、「大衆運動に力を注がなければいけないが、だからといって改良主義に埋没してはいけない」と言っていましたので、そこだけを見ると大きな違いがあるようには見えないのですけど、この後が問題なのですよね。

佐藤　はい。福本は、「大衆の要求に寄り添え」と訴えた山川とは対照的に、的確な方向転換ができるのは「マルクス主義の全面に立脚し、マルクス的方法――唯物弁証法的方法を厳正に把握しつつ、直に我が社会の現実性に結びつくところの真の、マルキストの一団」だけであると、レーニンの『何をなすべきか』を援用しながら主張しました。

その福本からすれば、山川が大衆からの分離が不十分なうちに二歩目の大衆との結合を目指してしまったのは明らかな失敗であり、現在の革命運動には「結合の前の分離」こそが重要なのだ、というわけです。福本のこの「分離・結合」論は、高学歴の若いインテリゲンチャが圧倒的に多かった第二次共産党のメンバーたちに熱狂的に受け入れられました。

池上　つまり、階級意識に目覚めていない大衆を切り離し、少数の先覚者だけが集まったグループが「前衛」として道を切り開くことが重要である。大衆を取り込むのはその後だというわけですね。典型的な「エリート主義」ではありますが、レーニンが『何をなすべきか』で記し実際にロシア革命を成功に導いた革命理論も、それに似た面はありました。

佐藤　しかし福本イズムを嫌った荒畑寒村は、福本イズムとレーニンの説く「前衛」は別物だと論じています。

〈その難解な、ペダンチックな論文を、私は辛抱してふたたび読み返さなければならなかったが、私の得た印象《いんしょう》では、レーニンが『何をなすべきか』の中で強調した「結合の前の分離」論のお粗末な複製に外ならない。レーニンはロシア社会主義運動の修正派、経済派といわれた合法主義者と分離して、職業的革命家の秘密組織を主張したのであるが、福本イズムと呼ばれるようになったこの議論は、労働組合や当時の無産政党のような大衆運動にこの原則を適用し、そしてそれを「左翼的主体条件」を獲得する、すなわち共産党を組織する前提としている。このような議論を実践に移した結果は、当時すでに起りつつあった無産政党の分裂を助長し、労働組合運動に二重組合主義の弊《へい》をもたらし、ひいては党自身を孤立におとしいれて一般無産階級の勢力を弱めるだけであろう。〉(『寒村自伝』)

「レーニン主義の漫画」呼ばわりされた福本イズム

佐藤　またこの理論はコミンテルンによっても全否定されてしまいました。

コミンテルンは一九二七(昭和二)年四月、再建された日本共産党の綱領を作成する必要があるという理由で福本と山川にモスクワまで来るように命じましたが、山川が拒否したため、佐野文夫、徳田、福本らが使節団となりモスクワに向かいました。

自分の理論に絶対の自信をもっていた福本は意気揚々とブハーリンとの会合に臨んだものの、実際の対面の場では福本イズムは「レーニン主義の漫画」に過ぎないとまでけなされ反論もできず、色を失ったと言われています。

池上　福本イズムはレーニンの革命理論を模倣したつもりだったのでしょうが、本家に近い人々はそうは見なかったのでしょうね。また、この頃のソ連はレーニン死後に勃発した権力闘争の真っ最中でしたから、その影響もあったのかもしれません。レーニンに次ぐ存在だったトロツキーがスターリンによって失脚させられたのもちょうどその頃でした。

佐藤　そのスターリンと共同歩調を取っていたブハーリンは、日本共産党が人材の「貯水池」である大衆組織に浸透することを期待し、福本が説く分離・結合論はその貯水池を破壊する「左翼日和見主義」であると斥けました。

現在の日本共産党は、福本イズムについて「人為的に、勝手に作りだした抽象的影像から出発しており、現実の関係を明らかにすることに努めずに、論理的範疇《はんちゅう》を定立し調和させる遊戯にふけっている」（「日本問題にかんする決議」、以下「二七年テーゼ」『日本共産党綱領問題文献集』所収）と総括しています。福本、そして佐野文夫と徳田もこの一件で中央委員を解任されて党内非主流派に転落し、特に福本は二度と復権することはありませんでした。

その一方でコミンテルンは、解党論を導き出した山川イズムについても、「右翼日和見主義」であるとして批判しました。

池上　福本イズムだとごく僅かなエリートだけの運動にとどまり大衆から孤立してしまうけれど、山川イズムだと共産党を結成すること自体が時期尚早ということになってしまう。結局コミンテルンにとってはどちらも党勢を伸ばす上で都合が悪いと考えたのでしょうね。

佐藤　このような経緯を経て渡辺政之輔ら新たに選ばれた執行部は、日本に関するテーゼをコミンテルンで作成してほしいと要請しました。

そうしてブハーリン中心にまとめられた「二七年テーゼ」は、まず天皇という存在を以下のように位置づけました。

〈日本資本主義の発展の可能性および資源はアメリカ資本主義のそれに比して比較にならぬほど制限されているにもかかわらず、日本資本主義は、イギリスおよびその他のヨーロッパの資本主義諸国とは反対に、疑いもなく現在なお発展の上向線を辿《たど》っている。（中略）日本国家それ自体が日本資本主義の最大の要素である。ヨーロッパのいかなる国も、日本ほど国家資本主義制度に近づいているものはない。日本においては、ある計算によれば、工業および銀行に投下されている全資本の約三〇パーセントは国家に属しており、しかもこのなかには、ほとんど全部が国家の手中にある鉄道は含まれていない。天皇はたんに広大な土地を所有しているだけでなく、多くの株式会社および企業連合のきわめて多額の株式を所有している。最後に、天皇は、資本金一億円の自身の銀行をも持っている。〉（前掲「二七年テーゼ」）

これを要約すると、天皇は明治維新以前の封建的な外套をまとっているものの、実質的にはブルジョア化している、ということになります。

「二七年テーゼ」と「労農」

佐藤　さらに「二七年テーゼ」では、日本では政友会は三井財閥、憲政会は三菱財閥とお互いの利益のために深く結びついており、「古い封建的諸形態にブルジョア的内容を盛る二重の過程が進行しており、またそれと並行して、ブルジョアジーを反革命的要因に転化する過程が進行している」。ブルジョアジーは封建貴族と意見は異なるが、労働者農民運動に対しては彼らと共同して行動している、と日本の現状を分析しました。

マルクス・レーニン主義においては、まずプロレタリアートがブルジョアジーと手を組んで封建的支配勢力を倒し、ブルジョア民主主義革命を起こす。次にプロレタリアートが権力を奪取し、社会主義革命を実現するという二段階革命が革命の定式です。しかし二七年テーゼの分析を素直に読めば、ブルジョアジーは封建的勢力と分かちがたく癒着しており、プロレタリアートと手を組む余地など、どこにもありません。

池上　そうすると日本の場合、ブルジョワジーと一体化した封建貴族を、そのトップである天皇も含めてまとめて打倒する、つまり一段階革命以外に革命を実現する方法はない、という結論に自然となりそうですが。

佐藤　そのとおりです。しかしコミンテルンはマルクス・レーニン主義的な二段階革命モデルをあくまで絶対化し、途中までの自らの分析とはかけ離れた結論を導き出しています。

〈日本国家の民主主義化、君主制の廃止、現在の支配的徒党の権力からの排除のための闘争は、かくのごとく資本のトラスト化が高度の水準に達した国においては、不可避的に封建的残存物にたいする闘争から、資本主義それ自体にたいする闘争へ転化するであろう。日本におけるブルジョア民主主義革命は強行的速度をもって社会主義革命に転化するであろう。〉（前掲「二七年テーゼ」）

このように「二七年テーゼ」は、二段階革命の一段階目としてのブルジョア革命、つまり「君主制の廃止」を日本共産党の当面の目標として定めるとともに、ブルジョア革命実現のための手段として日本共産党に大衆政党になることを求めました。さらにこの実現の手段として、各地の工場細胞（支部）を組織の基礎とするように指示しました。

池上　この後の日本共産党は「二七年テーゼ」で決められた方針通り、大衆運動への浸透を開始していきましたね。大都市を中心に各地の工場に党員を送り込み、シンパを増やすことで工場細胞を作り始めたほか、一九二八（昭和三）年二月には中央機関紙「赤旗《せっき》」を非合法の地下新聞として創刊しました。

さらに合法政党に党員を潜り込ませる試みも行われました。一九二六年三月五日に結成された「労働農民党（労農党）」は農民運動家の杉山元治郎《すぎやまもとじろう》をリーダーとする農民団体「日本農民組合（日農）」や日本労働組合評議会（評議会）の右派・中間派が集まった政党であり、当初はマルクス主義者などの左派は排除されていましたが、組織拡大の過程で共産党員たちが同党に浸透していき、徐々に主導権を握るようになっていました。一九二八年二月二〇日に普通選挙法に基づく初の衆議院議員選挙が行われると、一一名もの共産党員が労農党の候補者として立候補しました。もっとも労農党全体では二議席を得たものの、共産党系の候補は全員落選しましたが。

佐藤　一方で福本同様にブハーリンから批判された山川均はその時点では日本共産党からは完全に離れており、一九二七（昭和二）年一二月には堺利彦、荒畑寒村らと一緒に雑誌『労農』を創刊しました。

池上　この雑誌に、当時九州帝国大学教授だったマルクス経済学者・向坂逸郎《さきさかいつろう》らも同人として参加し、彼ら「労農派」が戦前・戦後を通じて共産党とは別系統のマルクス主義を唱えていくわけですね。

佐藤　ええ。山川が『労農』創刊号の巻頭に掲載した論文「政治的統一戦線へ！」からして、当時の国家権力を「帝国主義的ブルジョアの政治権力」と規定しており、日本は半封建的とする共産党の「二七年テーゼ」と真っ向から対立するものでした。これを問題視した共産党は一九二八年二月に山川、荒畑二名の除名を決定しています。

「三・一五事件」が共産党に与えた衝撃

池上　一九二八（昭和三）年三月一五日のいわゆる「三・一五事件」が起きたのは、山川と荒畑の二人を除名した翌月のことですね。

　これ以前の一九二五年三月、第一次加藤高明内閣が「国体の変革」および「私有財産制度の否認」を目的とする結社・運動をした者に一〇年以下の懲役又は禁錮を科すと定めた治安維持法を成立させたことにより、共産主義者であるというだけで政府が逮捕し、投獄することが可能になっていました。

この法律をもとに警察は、まず第一回普通選挙に労働農民党から出馬して落選した徳田球一を投票日からわずか一週間後の一九二八年二月二六日に逮捕。続いて三月一五日に全国で一斉捜査を行い、日本共産党のほか労働農民党や日本労働組合評議会など共産党とのつながりが疑われた五〇ヵ所以上の組織に強制捜査を行いました。これにより野坂参三のほか、福本和夫から政治部長職を引き継いでいた志賀義雄など共産党の幹部、シンパなど約一六〇〇名を検挙しました。

起訴された者は四八八人、治安維持法違反で市谷刑務所に収監された者は三〇名にのぼりました。

徳田や志賀は当初懲役一〇年の刑を受けましたが、一九四一年五月に治安維持法が改正され、転向しない者は刑期終了後も刑務所内に拘禁する「予防拘禁」が可能となったことでいつまで経っても出所できませんでした。この二人は日本が第二次大戦に敗戦し、GHQに助け出されるまで一八年の獄中生活を送ることになります。

野坂は保釈後にソ連へと亡命し、ソ連の外国人向け政治学校「クートヴェ」(東方勤労者共産大学)に入って訓練を受けました。その後は日中戦争で日本軍兵士に脱走を促す情報

小林多喜二

宣伝戦や捕虜の思想教育に取り組み、戦後まで帰ることはありませんでした。

すでに共産党幹部だった彼ら以外では、北海道拓殖銀行の小樽支店に勤務していた銀行員の小林多喜二《こばやしたきじ》は、小樽市における三・一五事件を題材にした『一九二八年三月十五日』を文芸誌『戦旗』の二八年一一月号と一二月号で発表。これにより作家デビューを果たし、翌年には代表作『蟹工船』を発表します。しかし『一九二八年三月十五日』などで描かれた特別高等警察の拷問の描写が官憲の怒りを買い、のちに彼自身が拷問で殺される伏線となりました。

共産党幹部がほぼ全滅した「四・一六事件」

池上　三・一五事件後の日本共産党は、検挙を免れた渡辺政之輔、鍋山貞親、佐野学、市川正一、三田村四郎らの中央常任委員を中心に再建を図り、一九二八（昭和三）年七月には、モスクワで開催されたコミンテルン第六回大会に市川を派遣するなど活動を再開しました。

また労働運動に関しても、渡辺や三田村が影響力を行使するに至っていた日本労働組合評議会（評議会）は治安警察法に基づき三・一五事件後に解散させられてしまうのですが、その後一九二八年一二月二五日に左翼系の組合が再結集して「日本労働組合全国協議会（全協）」を結成。この全協はコミンテルンが一九二一年に組織した労働運動の国際組織「赤色労働組合インターナショナル（プロフィンテルン）」にも日本の労働組合として初めて加盟し、半ば非合法状態ながら、一万二〇〇〇人以上を擁する大組織が共産党の強い影響力のもと活動するようになりました。

佐藤　特高は当初、三・一五事件の摘発で共産党対策はもう十分と考えていたようですが、この時期の渡辺らの活動で共産党の勢いが再び盛り返す兆しを見せたため、再び苛烈な弾圧を加えることにしました。

池上　九月には渡辺が上海に渡り、まだモスクワにいた市川と今後の展望を協議しようとしますが、台湾経由で帰国しようと台湾・基隆市に入ったところで警察に捕まりそうになり、隠し持っていた拳銃で巡査を撃って逃亡。最後は追いつめられ、自分で頭を撃ち抜いて自決しました。

一九二九（昭和四）年三月一八日には東京地方のオルガナイザーをしていた菊池克己が逮捕され、彼の自宅から押収された秘密文書から党の組織構成が特高に把握されてしまいました。そしてこの情報をもとに同二八日には中央事務局の責任者だった間庭末吉も逮捕され、間庭のアジトから暗号で書かれた党員名簿が押収されたことで党組織は丸裸にされてしまいました。間庭は船員出身で神戸港内労働組合の幹部も務めた人物でしたが、暗号は当時の海員たちには一般的に使用されているもので、解読は容易だったそうです。

そして四月一六日には全国一道三府二四県にわたる一斉検挙が行われ、この日だけで七〇〇人以上の共産党員とシンパが逮捕。さらに四月二七日に市川正一、同二九日に三田村四郎と鍋山貞親、六月一六日に上海で佐野学が逮捕され、これによって共産党幹部はほぼ全滅しました。この年には合計四九四二人が治安維持法違反で逮捕されています。

田中清玄と「武装共産党」時代

池上 三・一五事件と続く四・一六事件で幹部を根こそぎ逮捕されてしまった共産党では経験豊富な党員はもはや払底しており、一九二九（昭和四）年七月に中央委員長に選ばれたのは、弱冠二三歳の新人会所属の東大生・田中清玄《たなかせいげん》でした。この田中を、佐野学の甥で、京大在学中にモスクワにわたり、コミンテルンの上級幹部養成学校である「国際レーニン学校」で学んでいた佐野博《さのひろし》（当時二四歳）が帰国して補佐するという体制でした。

佐藤 佐野博は社会学者の鶴見和子および思想家の鶴見俊輔の姉弟とは従兄にあたりますね。

池上　田中と佐野博は苦労の末にコミンテルンとの連絡を回復し、国際連絡のための機関「ＯＭＣ（オムス）」を通じてコミンテルンから資金を提供されました。田中自身も上海に渡りコミンテルン極東部長のカール・ヤンソンから指示を受けていました。

田中らはコミンテルンの指示のもと、弾圧後休刊状態だった「赤旗」を復刊させたほか、日本労働組合全国協議会（全協）の組織化、さらに東大新人会を通じて東大医学部の組織化も図るなど着々と計画を実行。これにより党員数が二〇〇人前後まで回復したと言われています。

一方でコミンテルン、そして佐野学ら逮捕前の旧幹部たちは彼らに、「党は武装して自己防衛しろ」という指示を与えていました。

この指示のもと、新体制発足と同時にモスクワ帰りの佐野博を中心に新設されたのが「日本共産党技術部」、通称「テク」と呼ばれる機関であり、このテクを通じてアジトの設営や資金、武器、さらに変装用衣服の調達など、日本共産党の非合法活動を支える体制が整えられていきました。

その上で田中らは一九三〇（昭和五）年一月、和歌山市和歌浦《わかのうら》のアジトで拡大中央委員会を開催。ここで「合法的な選挙闘争同盟を結成し、選挙闘争を通じて日共の影響力を広めること。行動隊を組織してビラを撒くこと。検挙に対しては、拳銃、短刀などで抵抗すること」という方針を採択します。

佐藤　そして二月一八日、神戸市の川崎造船所の付近で同社の従業員たちにビラ撒きをしていた共産党員の男を警官が止めようとしたところ、逆にナイフで切りつけられ重傷を負うという事件が発生。ここから各地で同様の事件が約五〇件も発生し、田中清玄と佐野博に指導されたこの時期の共産党は「武装共産党」と呼ばれています。

池上　中でも有名なのが、一九三〇年五月一日に神奈川県川崎市のメーデー会場で起きた「川崎武装メーデー事件」ですね。メーデーの会場に日本共産党系の集団が竹槍や拳銃で武装して乱入した結果、これを阻止しようとした警察と乱闘に発展。警察官三名とメーデー実行委員会のメンバーが負傷して八名の逮捕者を出してしまい、赤色労働組合インターナショナル（プロフィンテルン）からも非難されました。

佐藤　そしてもうひとつの代表的事件が、スパイを通じて和歌浦のアジトの存在を割り出し包囲した特高と、応戦した共産党員たちとの間で銃撃戦となった「和歌浦事件」（一九三〇年二月二六日）ですね。

この事件では田中と佐野は偶然アジトに不在で危機一髪難を逃れるのですが、事件が世間で報じられると、田中の母親は息子を諫めるために自殺してしまいました。

田中清玄の実家は会津松平家の家老職を代々務めた家柄で、先祖には幕末の会津戦争で新政府軍に抗戦したすえ自刃した田中土佐（田中玄清）もいました。その家の人である母親の遺書には、「お前のような共産主義者を出して、神にあいすまない。お国のみなさんと先祖に対して、自分は責任がある。また早く死んだお前の父親に対しても責任がある。自分は死をもって諫《いさ》める。おまえはよき日本人になってくれ。私の死を空しくするな」とあったそうです。

母親の自決に大きなショックを受けながらも田中は活動を継続しますが、四月一日には右腕である佐野博が赤坂のカフェーで逮捕され一人になってしまいました。その後は市中のシンパに匿われながら生活していましたが、七月一四日には田中自身も世田谷・祖師谷《そしがや》のアジトで逮捕されます。

「非常時共産党」時代

池上　「武装共産党」が壊滅すると、高等小学校卒の旋盤工出身ながら二三歳でモスクワのクートヴェ（東方勤労者共産大学）に留学し、卒業後は赤色労働組合インターナショナル（プロフィンテルン）の執行部に勤務していた風間丈吉《かざまじょうきち》が帰国して中央委員長に就任。同じクートヴェ帰りだった松村昇らとともに一九三一（昭和六）年一月一二日、党中央を再建しました。同年九月一八日に満州事変が勃発し、日本が準戦時体制に入ることから、風間が指導したこの時期の共産党は「非常時共産党」と呼ばれています。

佐藤　この非常時共産党の初期の活動において重要な意味を持っていたのが、コミンテルン極東局のゲオルギー・サファロフにより作成された「三一年テーゼ草案」でした。

第二次共産党の発足以来の方針であった「二七年テーゼ」は先にも述べたようにブハーリンによって作成されたものですが、この頃のソ連共産党ではドイツ社会民主党とドイツ共産党の路線対立などを背景にスターリンが社会民主主義を激しく憎み、「社会民主主義とファシズムは対立物ではなく、双生児である」と定式化し、一九二九年七月の執行委員会総会では「社会ファシズム論」（社会民主主義主要打撃論）を正式採用するに至りました。そしてこのときに農民との連帯を重視するブハーリンは、たとえ農民に負担を強いても国内に集団農場・国営農場を拡張しようとするスターリンから「右翼的偏向」と攻撃され、失脚していました。

池上　ブハーリンが失脚した以上、ブハーリンが書いたテーゼも破棄しなければいけないということで代わりとなるテーゼの内容をサファロフが考え、この内容に沿って帰国後の風間も活動した、というわけですね。

佐藤　はい。もっともサファロフから伝えられた内容は紙一枚といえども日本に持ち込めないため、風間は帰国後に記憶を頼りに起草したそうです。

三一年テーゼ草案の特徴は天皇の役割をそれまでよりもかなり限定的に捉えたことです。前の二七年テーゼが天皇をブルジョア資本家であると同時に日本最大の封建地主と位置づけていたのに対し、三一年テーゼ草案では基本的な階級的矛盾は、ブルジョアジーとプロレタリアートの対立の中にあると規定され、天皇はブルジョアの支配にとって都合のいい「道具」に後退しました。スローガンの第一にも、「金融資本独裁の転覆。金融資本を先頭とするブルジョア・地主・天皇の権力の打倒」と天皇が金融資本に従属する形で記され、金融資本を打倒すれば、彼らの道具にすぎない天皇も自然といなくなるという論理立てがなされました。

池上 つまり社会主義革命を起こすための条件はすでに整っており、二段階革命の一段目であるブルジョア民主主義革命は不要ということになった。

佐藤 はい。日本共産党がプロレタリア革命を直接掲げたのは後にも先にもこの文書だけであり、現在の日本共産党はこの文書について、〈一時、党内に混乱をもたらしていた〉〈民主主義革命の方針を社会主義革命の方針に、戦略方針を転換せよという誤った指示がふくまれていた〉(『日本共産党の八十年』)などと否定しています。しかし私は、日本資本主義の発展段階に対するこの認識は、当時の日本の政治・経済情勢に最も近いものだったと思います。

この天皇の役割が後退したテーゼ草案にもとづいて風間指導部は五月に「大衆へ」「大工場へ」という方針を強く打ち出し、従来ならば党の周辺にとどまっていたようなシンパ層も積極的に入党させていきました。これにより党員数は戦前を通じて最大となる六〇〇人に迫り、機関紙「赤旗」は大金を投じて活版印刷化したこともあって発行部数は六〜七〇〇〇部になりました。日本共産党は三・一五と四・一六の両事件であれだけのダメージを受けたにもかかわらず、風間指導部でかなりの短期間で党勢を盛り返し、戦前を通じてピークの時期を迎えたのです。

またこの時期の共産党は、プロフィンテルンのアジア太平洋支部である「太平洋労働組合書記局」のイレール・ヌーラン書記長が一九三一年六月一五日に上海で逮捕され、書記局が壊滅した影響でコミンテルンからの資金援助が絶たれてしまっていたのですが、コミンテルンに頼る代わりに風間が重要な資金源に位置づけたのが、知識人を中心としたシンパからのカンパでした。当時の共産党は、プロレタリア文学の隆盛も手伝って知識人層からは広範な支持を受けており、月三円以上カンパしてくれるシンパが常に一万人はいたとされています。公務員や銀行員の初任給が月七〇円の時代の三万円ですから、現在の価値で一億円以上をカンパだけで賄っていたことになります。

池上 この時代の作家や知識人は、現代と比べてずっと儲かる仕事で高所得者が多かったですものね。

佐藤　ええ。しかし官憲はこれらの資金源に対して抜かりなくクサビを打ち込んできました。一九三二年三月から四月にかけて、多くの共産党員やシンパの作家が加盟していた「日本プロレタリア文化連盟」（通称「コップ」。正式名称はエスペラントで、Federacio de Proletaj Kultur Organizoj Japanaj）が強制捜査の対象となり、四〇〇名にのぼる検挙者を出したことで、共産党は有力な資金源のひとつを絶たれてしまいました。

池上　この弾圧により、プロレタリア文学の理論家であった文芸批評家の蔵原惟人《くらはらこれひと》のほか、プロレタリア詩人の中野重治《なかのしげはる》、劇作家の村山知義《むらやまともよし》らが治安維持法違反で逮捕されてしまいましたね。このときは逮捕を免れた小林多喜二、あるいは一九二九年に『敗北』の文学」で雑誌『改造』の懸賞論文に当選し文芸批評家として活躍していた宮本顕治《みやもとけんじ》も作品の発表が難しくなりました。

佐藤　宮本顕治が『「敗北」の文学』で何を書いていたかというと、「（一九二七年に自死した）芥川龍之介はブルジョア文学者の限界ゆえに人生に敗北した。プロレタリアートはこのような生き方をしてはいけない」と戒めたもので、今の基準ではイデオロギー過剰な政治的評論と切り捨てられてもしかたのないようなものです。

しかしこのエッセイが小林秀雄《こばやしひでお》『様々なる意匠』を抑えて一等になった事実が、当時の文壇でプロレタリア文学がどれだけ大きな影響をもっていたかを示していますね。

「エンタメ性」抜群だったプロレタリア文学

池上　じっさい非常時共産党の頃の党員数は戦前を通じて最も伸びたといってもたかだか六〇〇〇人。しかしこの当時の社会にあって、「共産党」が決して馬鹿にできない存在感をもち権力側からも恐れられていたのは、プロレタリア文学の影響が大きいように思います。

佐藤　そうですね。ただ一口にプロレタリア文学といっても大きくは二つのグループに分かれるんです。小林多喜二や徳永直《とくながすなお》、中野重治、蔵原惟人など、文芸誌『戦旗』を拠点としながら作品を発表していた日本共産党の党員・シンパの作家たちは「戦旗派」と呼ばれています。

その一方で、労農派の作家たちは『文芸戦線』を根城とし、「文戦派」と呼ばれていました。こちらの代表格は、『海に生くる人々』『セメント樽の中の手紙』などの代表作がある葉《は》山嘉樹《やまよしき》、『二銭銅貨』の黒島伝治《くろしまでんじ》、『施療室にて』の平林《ひらばやし》たい子《こ》などです。

小林多喜二の代表作『蟹工船』は一九二九（昭和四）年の発表で、葉山の『海に生くる人々』はその六年前の一九二三年（発表当初のタイトルは『難破』）発表の小説ですが、この二つの小説は現代なら剽窃問題に発展しそうなくらいよく似ているんです。

池上　小林多喜二の『蟹工船』は、タイトルどおり蟹工船、つまり戦前のオホーツク海で蟹を捕獲・加工する実質的には海の上の工場なのに、形式的には漁船であるがゆえに工場法の適用を受けない船が舞台ですね。その劣悪な環境の船では労働者たちが地獄のように辛い労働をさせられていて死ぬ者も少なくない。ある日の漁でも数人の労働者を乗せた小舟が行方不明になるが、幸運にも彼らはロシア人に救助され、ソ連が理想の社会であり、労働者には絶大な力があるのだと教えられ蟹工船に戻ってくる。そして彼らに影響を受け、プロレタリアートとして覚醒した船員たちがストを決行し、成功寸前のところまで行くのだけど、海軍が現れ鎮圧される。しかし蟹工船の労働者たちの闘争こそ、のちの革命運動の端緒を開いたのだった……というあらすじですよね。

葉山嘉樹

佐藤　『海に生くる人々』は蟹工船ではなく石炭運搬船ですが、最後にストが鎮圧されて終わるのも含めてプロットはほとんど同じです。ただし『蟹工船』の場合は鎮圧に出てくるのが海軍であるのに対して、『海に生くる人々』では水上警察がやってくるという違いがあります。ストを取り締まる治安警察法、あるいは共産主義者を取り締まる治安維持法も管轄していたのはいずれも警察であることを考えると、『蟹工船』のラストは現実にはありえません。
小林多喜二は、当時は北海道帝大よりも入るのが難しかった小樽商業専門学校（現在の小樽商科大学）を卒業して、北海道拓殖銀行の行員として庶民が羨むような高給を貰っていたエリート中のエリートでした。そんな彼がプロレタリアートの苦しみを小説で描く場合、多くは伝聞情報をもとに、あとは想像を膨らませて書くしかありません。
その点、葉山嘉樹は早稲田大学予科に進学するも学費が払えず退学となり、そこから本物の船員、あるいはセメント工として働き、ストライキに参加して弾圧を受けた経験もある本物のプロレタリアートでした。その葉山からすれば、ストの鎮圧に警察ではなく軍隊が乗り出してくるラストなんて想定しようがなかったでしょう。

池上　リアリティに関しては葉山嘉樹のほうがしっかりしていると。

佐藤　そうです。両作で描かれる労働そのものの描写も、リアリティには雲泥の差があります。ただ、そんな事情などわからない一般の読者からすれば軍隊が出てきたほうが絶対に面白い。

池上　たしかに（笑）。

佐藤　いや本当に、小林多喜二の小説にはそういう意味でのエンタテインメント性はものすごくあるんですよ。

『蟹工船』も実はそのテーマ以上に、船員たちが寝起きする「糞壺」と呼ばれる空間を中心とした「場の猥雑さ」の表現に心を奪われてしまうところがありますよね。その場所に一枚の春画が転がっていて、それを船員たちがあまりに「回し読み」するので「紙に毛が立つ」ほどゴワゴワになっている描写であるとか、あるいは女に飢えた船員が一四、五歳の雑夫をキャラメルと引き換えに自分の情夫にし、行為の場に出くわしてしまった他の者を問答無用で殴りつけようとする場面とか。『一九二八年三月十五日』にしても、あの凄惨な拷問描写は一種のSM小説のようにも読めてしまう艶めかしさがあります。

これは現代で言えば、ヤミ金融業者と彼らにカネを借りて食い物にされる人びとの人間模様を描いた漫画『闇金ウシジマくん』を読む時の感覚に近いかもしれません。現実ならば近寄りたくない、怖い世界を覗き見しているような面白さがあるという意味で。

池上　たしかに、「特高に虐殺されたプロレタリア作家の代表作」という先入観をいったん外して読んでみると、意外なほどに俗な面白さがあるのは事実のような気もしますし、当時リアルタイムで読んでいた読者にしても、一部はそういった受容の仕方をしていた可能性は否定できませんね。逆にそういう興味から読み始めた読者が、気がついたら真面目に階級意識に目覚めていた、というパターンだってあったのかもしれない。

佐藤　葉山嘉樹にしても実はそういう面はあります。たとえば彼の代表的な短編作品『セメント樽の中の手紙』は、とあるダムの建設工事の現場でひとりの労働者がクタクタになりながらセメントを使おうとすると、セメント樽の中に木箱が入っており、さらに箱を開けると、中には手紙が入っていた、というところから始まります。読むと手紙はセメント袋を縫う女工が書いたもので、女工の恋人が破砕機に巻き込まれ、今自分が工事現場で使っているセメントになったという事実をそこから知ることになります。

〈私の恋人はセメントになりました。私はその次の日、この手紙を書いてこの樽の中へ、そうっと仕舞い込みました。／あなたは労働者ですか、あなたが労働者だったら、私を可哀相だと思って、お返事下さい。／この樽の中のセメントは何に使われましたでしょうか、私はそれが知りとう御座います。〉――。

池上　怖いですよね。ちょっとホラー小説のようです。

佐藤　ただ葉山嘉樹という作家の場合、そういう小説を書こうとしてもホラーに徹しきれないというか、どうしても現実から離れられないんですね。

葉山が遺した「創作ノート」によると、『セメント樽の中の手紙』は当初の案では、労働者が破砕機に巻き込まれるのでなくて逆に労働者がパワハラ上司を破砕機に突っ込んで殺害し、セメントにして完全犯罪をやってのけるという全く違う筋だったようです。

ところが実際に書いた小説は、労働者が巻き込まれてセメントになってしまうパターンでした。しかもその悲惨な労災事故の事実を告げられた主人公はなんとも言えない感情に襲われるものの、傍にはまもなく七人目の子供を生むはずの身重の妻がおり、酒だけあおって見て見ぬふりをしようと決意するところで終わる。

池上　なんとも物哀しい、しかしひとりの平凡な労働者の心理としてはリアルですね。

佐藤　リアルですし、文学としての鑑賞にも堪えます。しかし、どんなに過酷な拷問を受けても絶対に吐かず、畳針を刺されて気絶しても党のために頑張りぬくという作品のほうがエンタテインメントとしては面白い。読者を現実の政治運動に駆り立てる力がどちらにより備わっているかといえば、小林多喜二のほうでしょう。

「三二年テーゼ」が共産党に与えた影響

佐藤　さて、話を風間丈吉が率いていた非常時共産党に戻しましょう。「日本プロレタリア文化連盟」の弾圧により重要な資金源を絶たれた風間らにとって、さらに「困りの種」となったのが、「三二年政治テーゼ草案」の執筆者であるサファロフがモスクワで失脚し

河上肇

てしまい、彼が執筆した「三二年政治テーゼ草案」もまた破棄されたことでした。

池上　日本担当の幹部だけでもこれだけコロコロ失脚するわけですから、この頃にスターリンが行っていた粛清がどれほど凄まじいものだったか窺えますね。

佐藤　「三二年政治テーゼ草案」の代わりに一九三二（昭和七）年五月にコミンテルンが決定したのが「日本における情勢と日本共産党の任務にかんするテーゼ」（三二年テーゼ）であり、この内容は「赤旗《セッキ》」の一九三二年七月二日特別号にも掲載されました。なお翻訳を担当したのは、この一六年前の一九一六（大正五）年に格差社会の原因を論じ、大正期を代表するベストセラーとなった『貧乏物語』の著者・河上《かわかみ》肇《はじめ》でした。

　明治維新をブルジョア民主主義革命だと捉えた「三二年テーゼ草案」を誤りだとして廃棄してコミンテルンが決定したこのテーゼの特徴は、日本の支配制度が、「絶対主義的天皇制」「地主的土地所有」「独占資本主義」の三者の結合とした点にあります。共産党の公史である『日本共産党の六十年』は以下のように説明しています。

〈天皇制について、それは地主階級と独占資本の利益を代表しながら、同時に、その独自の相対的に大きな役割とえせ立憲的形態で粉飾された絶対的性質とを保持していること、このブルジョア＝地主的天皇制こそ、「国内の政治的反動といっさいの封建制の残滓《ざんし》の主要支柱」、「搾取諸階級の現存の独裁の強固な背骨」であることを指摘し、この天皇制国家機構の粉砕に日本の革命運動の第一の任務があるとした。〉

「三二年テーゼ」が描いた「絶対主義的天皇制」とは、ツァーリ（ロシア皇帝）の専制主義に対するレーニンの解釈を日本の天皇にそのまま当て嵌めたものでしたが、この機構を打倒することをコミンテルンから「第一の任務」とされた日本共産党は、以後、この任務を実行に移さざるを得なくなりました。

池上　三二年テーゼを機械的に実行に移そうとして起きた悲劇が、全協の崩壊ですね。

佐藤　ええ。一万人以上の加盟組合員を擁する全協は、戦前の共産党にとっては最大の人材供給源にして資金源でした。その組合の新しい行動綱領を九月の中央委員会で定めるにあたって日本共産党は、「天皇制打倒に関する闘争」という項目を加えようとし、これに傘下の組合から猛反発が起きたのです。

池上　そんなスローガンを掲げれば激しい弾圧が加えられるのは火を見るより明らかです

からね。

佐藤　はい。しかし中央委員会での最終的な採決では、共産党が全協内部の党細胞を動員したこともあって九対八の一票差で新綱領は採決。これにより全協は先鋭化し、労働争議でも「天皇制打倒！」と大書したポスターを工場に張り、同様のビラを周辺一帯に撒くようになりました。

共産党との関係から結成以来ずっと半非合法的存在だった全協はこれにより完全に非合法となり、翌三三年二月二七日の全国一斉検挙により関係者が大量に検挙されました。

その後も一九三四年一月には組合再建の組織方針をめぐって組合と共産党との間で対立が起こり、この年の年末に事実上壊滅しました。

このような悲劇を生みつつ、三二年テーゼは日本共産党に大きな影響を及ぼし続け、戦後になっても肯定的に捉えられ、知識人の思考にまで強い影響をおよぼすことになりました。一九八二年に刊行された『日本共産党の六十年』でも、次のように正当化されています。

〈戦前の党の綱領的路線が民主主義革命から社会主義革命へという連続革命の立場をとったのは、社会主義を遠ざけるためではなく、社会主義にすすむためには、絶対的な権力をふるった天皇制という歴史的障害物をとりのぞかなければならなかったからであった。まず民主主義革命という方針は、社会主義的課題では一致できない人びともふくめて天皇制の打倒や、寄生地主的土地所有の廃止など民主主義的課題に広範な大衆を結集することを可能にした。「労農派」が主張した社会主義革命論は、絶対主義的天皇制をブルジョア的なものとみなすことによって、実はもっとも困難な天皇制とのたたかいを回避する右翼日和見主義にほかならなかった。〉

「日本資本主義論争」の勃発

池上　本シリーズを通じて私たちがこれまでに何度も言及している日本資本主義論争も、この「三二年テーゼ」に対する考え方の違いから起きた論争といえますね。

一九三二（昭和七）年五月に岩波書店から『日本資本主義発達史講座』が創刊され、三三年八月まで全七冊が刊行されました。同シリーズの編集人である野呂栄太郎《のろえいたろう》をはじめ、山田盛太郎《やまだもりたろう》、平野義太郎《ひらのよしたろう》など主要な執筆者はいずれも共産党の隠れ党員ないしはシンパのマルクス経済学者たちであり、彼ら「講座派」は三二年テーゼの考え方を忠実に理論化しました。

日本の資本主義はマルクスが想定した「原始社会→奴隷制→封建主義→資本主義→社会

主義」という社会の発展段階で言えば三番目の「封建主義」の段階にとどまっており、未だ近代的な資本主義には至っていない、したがってこの国で社会主義を実現するには二段階の革命が必要という史観を打ち出した。

一方で山川均や向坂逸郎など「労農派」は、明治維新が不完全ではあったものの欧州のブルジョア革命に相当するものであり、日本はすでに資本主義国になっている、よって社会主義は一段階で実現可能と考え、両陣営の論争が繰り広げられました。

佐藤 ところで、この論争の論者の中でも特に異彩を放つ人物に対馬忠行《つしまただゆき》がいますね。対馬は一九二八年に「日本無産階級運動発達史」という論文を発表し「横瀬毅八」というペンネームで日本資本主義論争に参加するのですが、戦後一九五〇年に『スターリン主義批判』を刊行しています。

池上 フルシチョフのスターリン批判（一九五六年）よりも六年も早く、日本ではマルクス主義者ならば誰もがまだソ連とスターリンを盲信していた時期にスターリン主義を批判し、トロツキズムの紹介者になったわけですね。

佐藤 だから向坂逸郎とも対立し袂を分かち、新左翼運動の理論的な柱の一人にもなっていくのですけど、一九七九年四月に瀬戸内海を航行中のフェリーから入水自殺しました。

死ぬ前に遺した手紙には、「マルクス曰く、レーニン曰く、曰く曰くで我が生涯は終わりぬ」と書かれていたそうです。

大森ギャング事件とスパイM

池上　再び話を非常時共産党に戻すと、「三二年テーゼ」を採用したことで全協を壊滅に追い込んでしまった共産党はさらに深刻な資金難に陥っていきました。

一方で共産党には今まで以上に資金が必要な事情もありました。三・一五と四・一六の両事件で逮捕された獄中幹部たちの裁判を党宣伝に利用する戦略を立てたため裁判費用が嵩んだほか、さらに佐野学、鍋山貞親、三田村四郎らを獄中から一九三二（昭和七）年二月の衆議院選挙に立候補させたため、その費用もかかっていたのです。

そうした状況で、党内では非常時共産党の発足当初から中央委員に加わっていた松村昇の存在感が高まっていきました。そして松村は一九三二年七月、「日本共産党技術部」を「家屋資金局」に名称を変え再編し、資産家の子女を騙して実家のカネを持ち逃げさせるという手口を考案。これを繰り返すことで資金を集めました。

さらに松村は、より直接的な犯罪行為を行うための「戦闘的技術団」を結成し、強盗、恐喝、詐欺、美人局、はては猥褻写真の販売など、ありとあらゆる方法で資金を獲得する計画が立てられました。

こうした中で共産党は一九三二年一〇月六日、東京市大森区（現・東京都大田区）の川崎第百銀行大森支店を襲撃し三万一七〇〇円、現在の価値で約一億円に相当する現金を強奪しました。これが日本最初の銀行強盗事件とされる「大森ギャング事件」、別名「赤色ギャング事件」です。

佐藤　実行犯のひとりだった大塚有章は河上肇の義弟（河上の妻・河上秀の実弟）であり、河上の次女・芳子も共犯となって大塚の逃走を手伝いました。奪ったカネを仲間に受け渡した後、大塚はモーニング、芳子はウェディングドレスを着て一台の車に同乗し、結婚式を挙げたばかりの新婚夫婦を装って非常線を突破したのです。芳子は大塚の「ハウスキーパー」でもありました。

池上　ハウスキーパーというのは、戦前の共産党が男性党員に女性の党員もしくはシンパと同居させ、近隣住民の目には普通の家庭生活を送っている夫婦のように見せかけようとした仕組みですね。小林多喜二の小説『党生活者』にも登場することで戦前から警察が反共宣伝の材料にしていましたが、警察が宣伝していたようなスキャンダラスな事例が実際にあったかは別にして、革命の大義のために女性党員を家政婦のように使っていたのは共産党の男尊女卑的な体質の現れではないかという指摘があります。

……しかし事件発生から三日目に実行犯の一人が逮捕され、そこから大塚有章や河上芳子など家屋資金局のメンバーが次々と逮捕されていきました。このあまりに迅速な逮捕劇は、家屋資金局を取り仕切っていた松村昇こと本名・飯塚盈延《いいづかみつのぶ》が最初から特高のスパイとして働いており、川崎第百銀行襲撃の計画も含め、党の秘密の大部分が飯塚を通じて警察に流れていたからだというのは、現在では定説になっています。

佐藤　現在の日本共産党は、大森ギャング事件は、特高から送り込まれたスパイMこと飯塚盈延がすべて仕組んだことであり、党は飯塚に扇動されただけで全く責任はないと主張しています。

〈天皇制政府は、日本共産党を弾圧するために、スパイ・挑発者を党内に潜入させました。多くの党員がスパイの手引きで逮捕され、殺されました。かれらの手口はきわめて卑劣で、おくりこまれたスパイが党の幹部になり、「大森ギャング事件」とよばれた銀行襲撃を計画してそれに党員を動員し、日本共産党の名誉を傷つけることまでやってのけました。〉(『日本共産党の八十年』)

池上　もっとも松村＝飯塚がスパイであることが実際に発覚するのはずいぶん先のことで、大森ギャング事件で「家屋資金局」のメンバーが逮捕された後も風間丈吉ら他の共産党幹部は飯塚の正体に気づいていませんでした。

けっきょく大森ギャング事件から一ヵ月も経っていなかった一〇月三〇日、非常時共産党の主要幹部たちは熱海温泉の別荘で一網打尽にされてしまいます。この「熱海事件」でも、この日この場所で党の地方代表者会議が開催されることは飯塚を通じて警視庁特別高等警察課に筒抜けになっており、飯塚に手引きされた一〇〇人を超える警官隊は早朝に別荘を包囲。銃撃戦の末に中にいた一一人全員を逮捕しました。

風間丈吉ほかの、この会議に参加しなかった幹部たちも、同時刻にそれぞれのアジト周辺で次々と逮捕されていきました。飯塚もこのとき形式的に逮捕されましたが、裁判が始まってみると被告の中に松村＝飯塚だけがいないので、そこで初めてメンバーたちは彼がスパイであったことに気づいたそうです。

なお、この熱海事件で逮捕された非常時共産党の幹部のひとりに、戦後も共産党で活動し衆議院議員にもなった紺野《こんの》与《よ》次《じ》郎《ろう》がいます。紺野は議員在職中の一九七六（昭和五一）年一〇月の衆議院本会議で公明党の矢野《やの》絢也《じゅんや》衆議院議員を「反共のイヌ」と罵った不規則発言で懲罰委員会にかけられるのですが、そこで飯塚について次のような発言を議事録に残しています。

〈特高首脳部は、スパイ飯塚盈延に大金を与えて姿をくらませ、その後、飯塚は終生、社会からの逃亡者としての生活を行い、待合に隠れ、北海道と満州を往復し、終戦後偽名で帰国して以来本籍を隠し、偽名を使い続け、元特高らに消されることを恐れ、一室に閉じこもり、昭和四十年酒におぼれて逃亡者としての悲惨な生涯を終えています。しかし、生地の本籍上の飯塚盈延はいまでも生きていることになっています。これはスパイ飯塚が当時の権力犯罪の悪どさを知る生き証人として消されることを恐れた逃亡生活の結果であります。〉

その後の共産党は一九三三年一月にクートヴェ帰りの山本正美《やまもとまさみ》が党中央を再建。中央委員には肺結核で療養中だった「講座派」の中心人物・野呂栄太郎のほか、谷口直平、山下平治、大泉兼蔵《おおいずみけんぞう》、三船留吉ら四人が就任しました。しかしこのうち大泉と三船は警察のスパイであり、二月二〇日には彼らの手引きにより小林多喜二が逮捕され、築地警察署で拷問を受け殺害されました。さらに五月、山本、山下、谷口も、大泉と三船の密告により逮捕されました。

一九三三年五月三日には、野呂栄太郎が依然病床にありながらも中央委員長に就任。スパイであることをまだ知られていなかった大泉のほか、新たに中央委員となった宮本顕治、袴田里見《はかまださとみ》らと再建を目指すことになりました。

三船に対してはちょうどこの頃にスパイの疑いがかかり、査問が行われることになりましたが、査問委員長に任命された大泉はあっさり「嫌疑なし」と結論。これに袴田が納得せず再査問が行われることになったものの、三船は再査問が開かれる直前に自ら手引きした警察に検挙され、再査問を逃れました。

佐野・鍋山転向声明の衝撃

池上　一連の弾圧で共産党が窮地にあることがいよいよ党員たち自身の目にも明らかとなりつつあった一九三三（昭和八）年六月、市谷刑務所に収監されていた佐野学と鍋山貞親の二人が、衝撃的な共同声明を発表しました。

佐藤　「共同被告同志に告ぐる書」ですね。

〈我々は獄中に幽居することすでに四年、その置かれた条件の下において全力的に闘争を続けると共に、幾多の不便と危険とを冒し、外部の一般情勢に注目してきたが、最近、日本民族の運命と労働階級のそれとの関連、また日本プロレタリア前衛とコミンターンとの関係について深く考うる所があり、長い沈思の末、我々従来の主張と行動とにおける重要

な変更を決意するに至った。〉

という書き出しから始まるこの文書の重要なポイントだけを説明すると、自分たちはこれまで真剣に共産主義革命を実現しようと運動してきたが、うまくいかなかった。その理由を考えた結果、この運動をコミンテルンの指導を受けながら行っていたことが間違っていたからだと気づいた、と佐野と鍋山は言います。

〈我々は従来最高の権威ありとしていたコミンターン自身を批判にのぼせる必要をみとめる。我々はコミンターンが近年著しくセクト化官僚化し、余りに甚しくソ連邦一国の機関化し、二十一ケ条加盟条件の厳格なプロレタリア前衛結合の精神を失い、各国の小ブルジョアに迎合し、悪扇動的傾向すら生じたと断定する。〉

〈支那共産党はソヴェート地域の大衆運動を基礎とするが故に強いのであって、コミンターン支部たるが故に然るのでない。むしろコミンターン支部たるが故に同党は時々セクト的暗影をもつのである。〉

〈今日、日本共産党が、既に内面的に変化せるコミンターンの決議に事々に無条件服従を求められ、日本の労働階級の創意の奔放を妨げているのは、我が労働者運動の一大不幸と

なった。〉

そして彼らは、労働者とはイコール民族であるとして、革命を実現するにはマルクスやレーニンが言うような国際主義ではなく、それぞれの国が抱える固有の条件、固有の民族性に合った「一国社会主義」運動が必要だったのだと反省します。その上で、歴史上一度も他国からの侵略を受けたことがない日本には優れた民族性があるので日本における社会主義革命は十分に可能だ、と論を進めていき、最終的にその優れた民族を連帯させる存在としての天皇に注目します。

〈最近の世界的事実（ソ連邦の社会主義をも含んで）は我々に教える。世界社会主義の実現は、形式的国際主義に拠らず、各国特殊の条件に即し、其民族の精力を代表する労働階級の精進する一国的社会主義建設の道を通ずることを。〉

〈日本民族が古代より現代に至るまで、人類社会の発達段階を順当に充実的に且つ外敵による中断なしに経過してきたことは、我々の民族の異常に強い内的発展力を証明している。〉

〈この歴史的に蓄積された経験は、今日の発達した文化と相まち、新時代の代表階級たる

労働階級が社会主義への道を日本的に、独創的に、個性的に、且つ極めて秩序的に開拓するを可能ならしめるであろう。〉

〈民族とは多数者即ち勤労者に外ならない。我々は我が労働階級及び一般に勤労人民大衆の創造的能力に強い信念をもつ。〉

〈日本共産党はコミンターンの指示に従って君主制廃止のスローガンをかゝげた。〉

〈コミンターンは日本の君主制を完全にロシアのツァーリズムと同視し、それに対して行った闘争をそのまゝ日本支部に課している。〉

〈党は政治的スローガンとしては「天皇制打倒」を恰も念仏の如く反覆し、あらゆる場合にあてはめ、浅薄な呪詛の言葉をヤタラに振りまいている。〉

〈我々は日本共産党がコミンターンの指示に従い、外観だけ革命的にして実質上有害な君主制廃止のスローガンをかゝげたのは根本的な誤謬であったことをみとめる。それは君主を防身の楯とするブルジョア及び地主を喜ばせた代りに、大衆をどしどし党から引離した。日本の皇室の連綿たる歴史的存続は、日本民族の過去における独立不羈の順当的発展——世界に類例少きそれを事物的に表現するものであって、皇室を民族的統一の中心と感ずる社会的感情が勤労者大衆の胸底にある。我々はこの実感を有りの儘に把握する必要がある。〉

……かくして佐野と鍋山は、今後は天皇を戴いて社会主義革命を行い、天皇を中心に据えた社会主義国家を建設するべきだ、と同志たちに向かって訴えたのです。

池上　声明はさらに戦争の目的や特性を考慮せずに戦争一般に反対する非戦論は「少ブルジョア的」であり、日本の戦争はアジアの民衆を帝国主義から解放する「世界史的進歩戦争」になりうるとして日本の大陸への侵略まで肯定していきますね。

〈コミンターンが反君主闘争と共に日本共産党に課している今一つの大きい課題は戦争反対特に敗戦主義である。我々はこゝにも深刻な小ブルジョア性を見る。〉

〈戦争に一般的に反対する小ブルジョア的非戦論や平和主義は我々のとるべき態度でない。我々が戦争に参加すると反対するとは、其戦争が進歩的たると否とによって決定される。支那国民党軍閥に対する戦争は客観的にはむしろ進歩的意義をもっている。また現在の国際情勢の下において米国と戦う場合、それは双互の帝国主義戦争から日本側の国民的解放戦争に急速に転化し得る。更に太平洋における世界戦争は後進アジアの勤労人民を欧米資本の抑圧から解放する世界史的進歩戦争に転化し得る。〉

一九二二年の第一次共産党結成以来の幹部にして、運動の理論面の柱でもあった佐野・鍋山がこの転向声明を発表したことは獄中・獄外を問わずすべての共産党関係者に衝撃を与え、発表後半月ほどで三田村四郎、高橋貞樹、中尾勝男ら三人の幹部が転向を表明しました。その後も風間丈吉、田中清玄、佐野博と幹部の転向表明が続き、一九三三(昭和八)年七月二〇日の段階で転向者は二〇〇名、七月末までには五〇〇名を超え、全国の共産党関係の未決囚・既決囚の三〇%以上が佐野・鍋山の声明発表から一ヵ月ほどで転向したと言われています。

党の周辺にいた文化人・知識人もその流れに続き、まず河上肇が佐野・鍋山の声明発表後すぐに「マルクス主義は引き続き信奉するものの実践的活動からは手を引く」と表明しました。

そして一九三四年二月には日本プロレタリア作家同盟が解散を宣言し、小林多喜二と並んで「戦旗派」の代表的作家だった徳永直も同年に転向小説「冬枯れ」を発表し、一九三七年には、代表作『太陽のない街』を自ら絶版にすると宣言しました。

幹部のうち徳田球一、市川正一、福本和夫、志賀義雄、紺野与次郎らは転向を拒否して佐野と鍋山を批判しましたが、このうち市川は終戦間際の一九四五年三月に宮城刑務所で五三歳で病死しています。

佐藤　母親が自分を諫めるために自決したと知った時さえ踏みとどまった田中清玄は、この声明を読んだ時に「生涯で一番ぐらついた」と自伝で書いています。佐野・鍋山の声明がなぜそれほどの力を持ち、同志たちを雪崩のように転向させたかといえば、その理由のひとつは彼ら自身の内発的な思考が率直に綴られた、非常に真面目な文章であったからです。

池上　官憲に拷問されて、迎合するために心ない言葉を並べただけだったら苦楽をともにした同志たちにはすぐにそれとわかったでしょうからね。そうではなく、佐野と鍋山が自分たちの運動について獄中で真剣に総括した末に導き出した結論だったから伝わった。

佐藤　自分たちが信奉した共産主義そのものが間違っているかについても検討はしたのだと思いますが、少なくともその時点では共産主義が正しいという信念は揺らがなかった。その上で、コミンテルンの誤った指導に従うのをやめて天皇を旗印にして革命運動をすれば自分たちの目標は実現できるという答えにたどり着いた。

池上　この結論自体にも、腑に落ちる思いをした党員は多かった、ということなのでしょうか？

佐藤　そうでしょう。彼らの場合、「二七年テーゼ」以来ずっと天皇というものを極端に強大な敵として頭の中に描き続けてきたわけですから。そうした人が一度天皇を受容してしまえば、今度は逆に巨大な思慕・崇拝の対象にしてしまうのはむしろ自然な流れです。

転向者たちの戦中・戦後

池上 なるほど。だからというべきなのか、この転向の流れを作り出した佐野学、鍋山貞親、三田村四郎、田中清玄、佐野博らは、一九四〇年代に満期あるいは恩赦で出獄すると、そこからはむしろ強力な反共のイデオローグ、右翼思想家となっていきますよね。

佐藤 最終的には本当に百八十度の思想転向に、やはり内発的な思考の結果行き着いてしまいましたね。

池上 鍋山が戦後一九四六（昭和二一）年に設立した「世界民主研究所」、佐野学が一九四七年に設立した「日本政治経済研究所」などはいずれも反ソ・反共を掲げて政財界へのロビー活動を行い、労使協調路線を掲げる右派労働運動の拠点となりました。三田村四郎が創設した民主労働者協会、通称「三田村労研」も一九六〇年代から七〇年代にかけて大企業の争議に介入し、経営側を指導して「労使協調・反共・反総評」の第二組合を数多く作らせたと言われています。

佐藤 あるいは田中清玄に代表される保守政治のフィクサー、総会屋。どれも院外団的な、そこはかとなく暴力の匂いがする活動ですよね。

池上　かつては暴力革命を志向し、実際に武装していた人たちでもあるわけですからね。

佐藤　特定の理念のために命を捨てる覚悟ができているというのは特攻隊と同じですからそれは強いですよ。しかも平和な社会になればなるほど、暴力の限界効用は高まりますからね。しかし暴力を少しずつちらつかせながら金と権力を集めることを覚えてしまったら、そこから抜け出すことは無理だったのでしょうね。

池上　ただ田中清玄に関しては六〇年安保でブント系の学生たちにシンパシーを示し、「甚だ諸君には御気の毒な事だが、日本の労働者大衆は誰れ一人として君等共産主義者同盟の考え方や、そのデモ闘争を支持しているものはないのだ。君等が自分自身で労働者大衆に支持されているかの様に思い込んでいるのは、とんでもない君等の自惚れだ」「ソ連に於いてもアメリカに於いても、政治と経済・文化を掌握して動かして行くものは、今日では最早、資本家でもなければ、プロレタリアートでもなくて、実に技術者を含めた経営者と称するインテリゲンチャーである」（『文藝春秋』一九六〇年二月号より）などと批判する一方で、反共勢力を育てると称して全学連に資金カンパもしていましたね。六〇年安保当時の全学連委員長・唐牛《かろうじ》健太郎《けんたろう》に至っては運動から身を引いた後、田中の経営する石油会社に嘱託の身分で入社しています。

佐藤　人たらしですよね。二〇二二年に英ロイター通信出身のジャーナリスト・徳本栄一郎氏による田中清玄の評伝『田中清玄　二十世紀を駆け抜けた快男児』が刊行されましたが、同書では田中清玄のこうした特異な能力は、戦前の武装共産党時代の活動で培われたものだと書かれています。

武装共産党の田中は、労働者をオルグするためであれば彼らのどんな些細な悩みでも聞いてやり、ときには一緒に博打もしながら気脈を通じていった。労働者たちの側も、「こんな肚の据わった兄ちゃんがやろうとしている革命なら俺も参加してみようか」と心服していったというんです。この経験が戦後の大物右翼、フィクサーとしての田中清玄を育てたというわけです。

疑心暗鬼を募らせた共産党と小畑達夫の死

池上　さて、このあたりで戦前の共産党が辿った、本当に最後の局面に触れておきましょうか。一九三三（昭和八）年六月の佐野・鍋山共同声明以降の共産党は離脱者の急増により実質的な活動はもはやできない状態でした。また大森ギャング事件以降、スパイの手引きにより幹部が逮捕されるケースがあまりに続いたことで、この頃の共産党幹部たちはお互いに疑心暗鬼となり、他の何よりもスパイの摘発に神経を尖らせなければいけない状況にありました。

そうしたなか、一九三三年一一月、中央委員長である野呂栄太郎がやはりスパイの手引きで検挙されました。野呂はのち翌一九三四（昭和九）年二月一九日に品川警察署で受けた拷問でもともと抱えていた肺結核の症状が悪化し、搬送先の病院で亡くなっています。

そして一九三三年一二月、宮本顕治と袴田里見は、同じ中央委員である大泉兼蔵と小畑《おばた》達夫《たつお》にスパイの疑いがあるとして査問にかけることを決定し、同二三日に東京市渋谷区幡ヶ谷のアジトに二人を呼び出しました。二人の手足を針金で縛り、目隠し・猿轡《さるぐつわ》をした状態で押し入れに監禁し、党員による暴行も加えられたこの査問により、大泉はスパイであることを自白。しかしもう一人の小畑は容疑を認めることなく二四日に外傷性ショックにより死んでしまい、宮本らは小畑の死体をアジトの床下に埋めました。

佐藤　大泉はともかく、小畑に関しては本当にスパイだったのか未だによくわかっていませんね。

池上　しかし宮本たちは小畑が死んだ当日・二四日付の「赤旗」号外に、「中央委員小畑達夫、大泉兼蔵の両名は、プロパガートル（党内攪乱者）として除名し、党規に基づき極刑をもって断罪する」という声明を掲載しました。すでに渋谷のアジトを割り出していた警視庁は、この「極刑」という表現からすでにリンチが行われていると見て捜査を開始。二六日に宮本が逮捕されますが、宮本は完全黙秘したため、小畑の死体は発見されませんでした。

一方で逮捕に先立って、宮本と袴田は大泉のハウスキーパーであった女性党員・熊沢光子《くまざわてるこ》にも「査問」を行っていました。熊沢は自分が仕えていた大泉がスパイであることを自白したと知って絶望し、大泉と心中させてほしいと袴田に申し出て了承され、翌三四年一月一四日に大泉とともに遺書を書きます。

ところが翌一五日に警察の気配を感じたため自殺は延期され、二人の身柄が目黒区の別のアジトに移されたところで大泉が逃亡し、監視役の女性党員と乱闘となりました。そこに警視庁麻布鳥居坂警察署（現・麻布警察署）の巡査がたまたま通りがかり、大泉が銃で射殺されそうになっている場面を目撃。ただちに現場に踏み込んで監視役を逮捕し、熊沢も付近を茫然と歩いているところを逮捕されました。

佐藤　熊沢は起訴された後に獄中で首を吊り自殺していますね。

池上　小畑達夫の遺体は大泉の供述により発見され、最後の中央委員長となっていた袴田里見が一九三五年三月四日に逮捕され、新聞各紙は「最後の大物を逮捕」などと書き立てました。袴田は逮捕前の時点で後継の中央委員を組織できる状況にすでになく、また「赤旗」も同年二月二〇日付の第一八七号を最後に発刊できなくなっており、これをもって戦前の共産党は何の活動もできなくなりました。

転向者が出た講座派、転向者が出なかった労農派

池上　そして共産党が事実上壊滅した後の一九三五（昭和一〇）年七月、モスクワでコミンテルン第七回大会が開催され、それまでの方針を百八十度方針転換し、社会民主主義勢力と協力して「反ファシズム統一戦線」を結成することが宣言されました。

佐藤　先ほども言ったようにスターリンは社会民主主義を敵視し、社会民主主義主要打撃論、社会ファシズム論を唱えていたのですが、これが結果的にドイツでナチスの台頭を許してしまい、このままではソ連が国家として危機に陥ってしまう状況となりました。そこで方針転換をせざるを得なくなったわけですね。

池上　コミンテルンはこの方針転換を日本共産党にも伝えるため、モスクワにいた野坂参三と山本懸蔵が一九三六年二月に連名で「日本の共産主義者へのてがみ」を書き、この手紙がアメリカ経由で日本国内に密かに持ち込まれました。ただこの時点では、日本共産党はもうすっかり壊滅しており、逮捕を免れた党員・シンパも日本共産党の再建に向けた具体的な行動は何もしていませんでした。

　しかしそれにもかかわらず警視庁は一九三六年七月、山田盛太郎、平野義太郎、小林良正など「講座派」の学者たちがモスクワにおける社会科学の最高研究機関である「コム・

「アカデミー」（共産主義アカデミー）の日本版を作り、日本共産党再建の「指導体」になっているとして検挙しました。この「コム・アカデミー事件」以後、日本共産党の再建運動に関係しそうな動きは、どんな些細なことであっても検挙されるようになりました。

さらに警察は一九三七（昭和一二）年一二月一五日、今度は「労農派」系の学者・運動家がコミンテルンの反ファシズム統一戦線の呼びかけに呼応して日本で人民戦線の結成を企てたという容疑で全国一八府県で強制捜査を実施しました。

佐藤　この第一次人民戦線事件では四八四人が検挙され、学者では山川均、荒畑寒村、向坂逸郎、鈴木《すずき》茂三郎《もさぶろう》、岡田《おかだ》宗司《そうじ》、大森義太郎《おおもりよしたろう》らを逮捕。政治家では、日本無産党（日無党）の委員長であった加藤勘十《かとうかんじゅう》、黒田寿男《くろだひさお》という二人の衆議院議員も逮捕され、この二人は政界追放処分となり、日無党と支持団体の「日本労働組合全国評議会」（全評）は結社禁止処分となり解散しました。

さらに翌一九三八年二月一日の第二次人民戦線事件では九府県で三八名が検挙され、大《おお》内兵衛《うちひょうえ》、宇野《うの》弘蔵《こうぞう》、美濃部亮吉《みのべりょうきち》、江田《えだ》三郎《さぶろう》、脇村義太郎《わきむらよしたろう》、佐々木《ささき》更三《こうぞう》らが逮捕されました。

池上　この第二次検挙の翌日二月二日付の『東京朝日新聞』には、「反ファシズム統一戦線は内部に社会民主主義、自由主義、反戦運動と言った多様な側面を持つ運動で、司法省内部には社会民主主義や自由主義を共産主義の温床だとみなす意見があり、内務省警保局はこの意見に追従し検挙に踏み切った」とあります。

治安維持法は、一九二八年の改定の際に目的遂行罪、つまり「結社の目的遂行のためにする行為」を、結社に実際に加入したことと同等の処罰の対象とし、これにより特高警察が「目的遂行のためにする行為」と見なせば、労働運動であろうとあらゆる行為を弾圧できるようになりました。人民戦線事件は、こうした目的遂行罪を拡大解釈して適用した典型的な事例であり、この事件を機に、日本共産党ともコミンテルンとも関係ないマルクス主義者や社会主義者全般が治安維持法を根拠に逮捕されるようになりました。

佐藤　けっきょく天皇制という制度を設定して、ものすごく恐ろしい制度であると描き出した「三二年テーゼ」とは自己成就する予言だった、ということですよね。最初は現実とはズレのある、あまり似ていない似顔絵だったのが、少しずつ少しずつ現実のほうが絵に近づいていき、最後は描いた通りの恐ろしい国家になっていった、ということだと思います。

ただ本シリーズの第一巻でも述べたことですが、労農派の場合、共産党と同じように治安維持法の拡大解釈で弾圧を受けても、転向者がほとんど出なかった、というのはかなり違う点です。向坂逸郎にしても山川均にしても、体制に対する積極的な抵抗はできないまでも迎合はしませんでした。戦時中でもなんとか言論活動を続けようとし、どうしても無理だとなったら、最後は農業の研究を始めて自分で畑を作ってでも自活しようとした。

講座派＝共産党が向坂や山川のように生きていけなかったのは、結局のところ彼らの運動がコミンテルンに養われていた運動だったからです。だからコミンテルンから資金を提供されているうちはかなり華やかなことができたけれど、コミンテルンからの資金が絶たれた途端に銀行強盗にまで転落してしまった。

ですから社会運動をやる上では「入り口」がものすごく大事だと思いますね。自分たちで働いてお金を集めるなり、薄く広くカンパを集める手段を最初から確立していれば、コミンテルンからの援助が絶たれても、スパイに潜り込まれて多少扇動されようとすぐに銀行強盗に行き着くことはなかったはずですし、そもそもコミンテルンに絶対服従する必要も生じなかったはずです。

戦前の共産党の失敗は、そういう教訓を現代の我々に与えてくれていると思います。

おわりに

『日本左翼史』も四冊目の本書で完結します。歴史書ではありますが、時代の順番に語るのではなく、現下の状況や読者の関心に沿う形で論点を繋いできました。これまでの三冊は第二次世界大戦後の歴史を扱いましたが、最終巻は日本の左翼運動の黎明期に遡りました。

このシリーズの契機は、二〇二二年が日本共産党創立一〇〇年に当たったことです。日本共産党としては、きっと自己の歴史を正当化する「百年史」を出版するだろう。それでは日本の左翼史の全体像は描かれない。その前に、実際には何があったのかをきちんと記録に残しておくべきではないか。佐藤優氏の問題提起にもとづき、対談を重ねてきました。

この企画は佐藤氏あればこそ。さらに古川琢也氏の綿密なリサーチによって支えられました。

こうしてシリーズがスタートしたのですが、当初の想定とは異なり、二〇二三年六月時点になっても、日本共産党は「百年史」を刊行していません。

百年史ということであれば、通常の常識では前年ないしは当該年に出すべきもの。それが百年を過ぎても出てこないのは、どういうことなのでしょうか。

過去の歴史の評価をめぐり、党内で論争が起きているのか。それとも新しい時代の運動を展開するためには、過去の負の歴史をなんとか糊塗《こと》しなければならないと苦悩しているのか。

以上は党外からの勝手な憶測に過ぎませんが、このところ共産党に関しては、ベテラン党員が党のあり方を批判したために除名されたり、統一地方選挙で議席数を減らしたりと逆風にさらされています。そうしたことが影響したのでしょうか。

本シリーズには、日本共産党に対する厳しい批判も含まれていました。従来の日本共産党ならば、「卑劣な反共攻撃」等の表現で直ちに反論を発表していたでしょうが、なぜか音沙汰もありません。なまじ批判すると、本シリーズの宣伝になってしまうと危惧したのか、指摘が事実だから黙殺することにしたのか、それとも反論するだけの理論的蓄積を持った人材が払底してしまっているからなのか。

今回、日本の左翼運動の黎明期を辿ってくると、日本の共産主義運動が、ソ連のコミンテルンの指示のままに動くという失敗を繰り返していたことがわかります。

そもそもソ連に、日本の現状を深く理解している人物が当時いるはずもなく、そのような状況で日本を「指導」することになれば、ロシア革命を実行した自分たちの経験を金科玉条とするしかなかったであろうことは容易に推測できます。

「コミンテルンの指導は、日本の現実を見ない机上の空論だ」と、声を上げる人がほとんどいなかったのは、どういうことなのか。

創設されたばかりの日本共産党は、理論も借り物だったし、活動資金もコミンテルンから受け取るという状態でした。

しかし、多額の資金の行方が不明になるというスキャンダル。理論ばかりでなく、人間性においても貧弱な実態が浮き彫りになります。

当たり前のことですが、自国の革命運動は、その国の現状を自分の頭で分析して考え出す自主性がなければ失敗します。

これは共産主義運動に限りませんね。日本の政治や経済の構造改革も、アメリカ流の理論の直輸入ではうまくいきません。いわゆる新自由主義の導入の失敗を見ると、悪弊は左翼に限らないことがわかります。

戦前の日本共産党は、こうして失敗を繰り返しているうちに当局の弾圧により壊滅しました。

しかし、第二次世界大戦後もソ連共産党の方針によって右往左往する歴史が続きました。しかも、それを自らの失敗として総括するのではなく、「一部の分派」に責任を押し付ける形で済ませてきました。

これでは、党中央は常に正しいということになってしまいます。

こうして日本の左翼運動が低迷している間に、自民党を右から補完する政党や、既成の政治を全否定するネット型の政治勢力が伸長しています。

日本の左翼運動の黎明期は第一次世界大戦や日中戦争の時代でもありました。いままたウクライナでは戦争が続いています。いまの時代が「戦前の再現に見える」と言った人もいます。過去の失敗に学び、戦後を「戦前」にしないために、私たちに何ができるのか。そんな問題意識の参考になれば幸いです。

池上　彰

二〇二三年六月

写真提供：朝日新聞社（P15、P25、P77、P137、P173）
国立国会図書館（近代日本人の肖像）（P33、P61、P69、P90、P107、P140、P193、P204、P220）
講談社資料センター（P85、P103、P117、P141、P150、P183、P215）

N.D.C.210　249p　18cm
ISBN978-4-06-532858-3

講談社現代新書　2712

黎《れい》明《めい》　日《に》本《ほん》左《さ》翼《よく》史《し》　左《さ》派《は》の誕生《たんじょう》と弾圧《だんあつ》・転向《てんこう》　１８６７―１９４５

二〇二三年七月二〇日第一刷発行

著者　池上《いけがみ》彰《あきら》　佐藤《さとう》優《まさる》

発行者　髙橋明男
発行所　株式会社講談社
東京都文京区音羽二丁目一二―二一　郵便番号一一二―八〇〇一
電話　〇三―五三九五―三五二一　編集（現代新書）
〇三―五三九五―四四一五　販売
〇三―五三九五―三六一五　業務
装幀者　中島英樹
印刷所　株式会社ＫＰＳプロダクツ
製本所　株式会社国宝社
本文データ制作　講談社デジタル製作
定価はカバーに表示してあります　Printed in Japan

「講談社現代新書」の刊行にあたって

教養は万人が身をもって養い創造すべきものであって、一部の専門家の占有物として、ただ一方的に人々の手もとに配布され伝達されうるものではありません。

しかし、不幸にしてわが国の現状では、教養の重要な養いとなるべき書物は、ほとんど講壇からの天下りや単なる解説に終始し、知識技術を真剣に希求する青少年・学生・一般民衆の根本的な疑問や興味は、けっして十分に答えられ、解きほぐされ、手引きされることがありません。万人の内奥から発した真正の教養への芽ばえが、こうして放置され、むなしく滅びさる運命にゆだねられているのです。

このことは、中・高校だけで教育をおわる人々の成長をはばんでいるだけでなく、大学に進んだり、インテリと目されたりする人々の精神力の健康さえもむしばみ、わが国の文化の実質をまことに脆弱なものにしています。単なる博識以上の根強い思索力・判断力、および確かな技術にささえられた教養を必要とする日本の将来にとって、これは真剣に憂慮されなければならない事態であるといわなければなりません。

わたしたちの「講談社現代新書」は、この事態の克服を意図して計画されたものです。これによってわたしたちは、講壇からの天下りでもなく、単なる解説書でもない、もっぱら万人の魂に生ずる初発的かつ根本的な問題をとらえ、掘り起こし、手引きし、しかも最新の知識への展望を万人に確立させる書物を、新しく世の中に送り出したいと念願しています。

わたしたちは、創業以来民衆を対象とする啓蒙の仕事に専心してきた講談社にとって、これこそもっともふさわしい課題であり、伝統ある出版社としての義務でもあると考えているのです。

一九六四年四月　野間省一

日本史Ⅰ

1258 身分差別社会の真実——斎藤洋一 大石慎三郎
1265 七三一部隊——常石敬一
1292 日光東照宮の謎——高藤晴俊
1322 藤原氏千年——朧谷寿
1379 白村江——遠山美都男
1394 参勤交代——山本博文
1414 謎とき日本近現代史 野島博之
1599 戦争の日本近現代史 加藤陽子
1648 天皇と日本の起源 遠山美都男
1680 鉄道ひとつばなし——原武史
1702 日本史の考え方——石川晶康
1707 参謀本部と陸軍大学校 黒野耐
1797 「特攻」と日本人——保阪正康
1885 鉄道ひとつばなし2——原武史
1900 日中戦争——小林英夫
1918 日本人はなぜキツネにだまされなくなったのか 内山節
1924 東京裁判——日暮吉延
1931 幕臣たちの明治維新 安藤優一郎
1971 歴史と外交——東郷和彦
1982 皇軍兵士の日常生活 一ノ瀬俊也
2031 明治維新 1858-1881 坂野潤治 大野健一
2040 中世を道から読む——齋藤慎一
2089 占いと中世人——菅原正子
2095 鉄道ひとつばなし3——原武史
2098 戦前昭和の社会 1926-1945——井上寿一
2106 戦国誕生——渡邊大門
2109 「神道」の虚像と実像 井上寛司
2152 鉄道と国家——小牟田哲彦
2154 邪馬台国をとらえなおす——大塚初重
2190 戦前日本の安全保障——川田稔
2192 江戸の小判ゲーム——山室恭子
2196 藤原道長の日常生活 倉本一宏
2202 西郷隆盛と明治維新 坂野潤治
2248 城を攻める 城を守る——伊東潤
2272 昭和陸軍全史1——川田稔
2278 織田信長〈天下人〉の実像 金子拓
2284 ヌードと愛国——池川玲子
2299 日本海軍と政治——手嶋泰伸

Ⓖ

日本史Ⅱ

2319 昭和陸軍全史3 —— 川田稔
2328 タモリと戦後ニッポン 近藤正高
2330 弥生時代の歴史 —— 藤尾慎一郎
2343 天下統一 —— 黒嶋敏
2351 戦国の陣形 —— 乃至政彦
2376 昭和の戦争 —— 井上寿一
2380 刀の日本史 —— 加来耕三
2382 田中角栄 —— 服部龍二
2394 井伊直虎 —— 夏目琢史
2398 日米開戦と情報戦 —— 森山優
2401 愛と狂瀾のメリークリスマス 堀井憲一郎
2402 ジャニーズと日本 —— 矢野利裕
2405 織田信長の城 —— 加藤理文
2414 海の向こうから見た倭国 高田貫太
2417 ビートたけしと北野武 近藤正高
2428 戦争の日本古代史 —— 倉本一宏
2438 飛行機の戦争 1914-1945 —— 一ノ瀬俊也
2449 天皇家のお葬式 —— 大角修
2451 不死身の特攻兵 —— 鴻上尚史
2453 戦争調査会 —— 井上寿一
2454 縄文の思想 —— 瀬川拓郎
2460 自民党秘史 —— 岡崎守恭
2462 王政復古 —— 久住真也

政治・社会

1145 冤罪はこうして作られる　小田中聰樹
1201 情報操作のトリック　川上和久
1488 日本の公安警察——青木理
1540 戦争を記憶する——藤原帰一
1742 教育と国家——高橋哲哉
1965 創価学会の研究——玉野和志
1977 天皇陛下の全仕事——山本雅人
1978 思考停止社会——郷原信郎
1985 日米同盟の正体——孫崎享
2068 財政危機と社会保障——鈴木亘
2073 リスクに背を向ける日本人　山岸俊男 メアリー・C・ブリントン
2079 認知症と長寿社会——信濃毎日新聞取材班

2115 国力とは何か——中野剛志
2117 未曾有と想定外——畑村洋太郎
2123 中国社会の見えない掟　加藤隆則
2130 ケインズとハイエク　松原隆一郎
2135 弱者の居場所がない社会　阿部彩
2138 超高齢社会の基礎知識　鈴木隆雄
2152 鉄道と国家——小牟田哲彦
2183 死刑と正義——森炎
2186 民法はおもしろい——池田真朗
2197 「反日」中国の真実——加藤隆則
2203 ビッグデータの覇者たち——海部美知
2246 愛と暴力の戦後とその後——赤坂真理
2247 国際メディア情報戦——高木徹

2294 安倍官邸の正体——田﨑史郎
2295 福島第一原発事故 7つの謎　NHKスペシャル『メルトダウン』取材班
2297 ニッポンの裁判——瀬木比呂志
2352 警察捜査の正体——原田宏二
2358 貧困世代——藤田孝典
2363 下り坂をそろそろと下る　平田オリザ
2387 憲法という希望——木村草太
2397 老いる家 崩れる街　野澤千絵
2413 アメリカ帝国の終焉　進藤榮一
2431 未来の年表——河合雅司
2436 縮小ニッポンの衝撃　NHKスペシャル取材班
2439 知ってはいけない——矢部宏治
2455 保守の真髄——西部邁

哲学・思想Ⅰ

66 哲学のすすめ――岩崎武雄
159 弁証法はどういう科学か　三浦つとむ
501 ニーチェとの対話――西尾幹二
871 言葉と無意識――丸山圭三郎
898 はじめての構造主義　橋爪大三郎
916 哲学入門一歩前――廣松渉
921 現代思想を読む事典　今村仁司 編
977 哲学の歴史――新田義弘
989 ミシェル・フーコー　内田隆三
1001 今こそマルクスを読み返す　廣松渉
1286 哲学の謎――野矢茂樹
1293 「時間」を哲学する――中島義道
1315 じぶん・この不思議な存在―鷲田清一
1357 新しいヘーゲル――長谷川宏
1383 カントの人間学――中島義道
1401 これがニーチェだ――永井均
1420 無限論の教室――野矢茂樹
1466 ゲーデルの哲学――高橋昌一郎
1575 動物化するポストモダン　東浩紀
1582 ロボットの心――柴田正良
1600 ハイデガー＝存在神秘の哲学――古東哲明
1635 これが現象学だ――谷徹
1638 時間は実在するか　入不二基義
1675 ウィトゲンシュタインはこう考えた　鬼界彰夫
1783 スピノザの世界――上野修
1839 読む哲学事典――田島正樹
1948 理性の限界――高橋昌一郎
1957 リアルのゆくえ――大塚英志 東浩紀
1996 今こそアーレントを読み直す――仲正昌樹
2004 はじめての言語ゲーム――橋爪大三郎
2048 知性の限界――高橋昌一郎
2050 超解読！ はじめてのヘーゲル『精神現象学』　竹田青嗣 西研
2084 はじめての政治哲学　小川仁志
2099 超解読！ はじめてのカント『純粋理性批判』　竹田青嗣
2153 感性の限界――高橋昌一郎
2169 超解読！ はじめてのフッサール『現象学の理念』――竹田青嗣
2185 死別の悲しみに向き合う――坂口幸弘
2279 マックス・ウェーバーを読む――仲正昌樹

Ⓐ